Addiction

Blake Nelson

Addiction

Traduit de l'anglais (américain)
par Cécile Moran

Albin Michel

Titre original :
RECOVERY ROAD
(Première publication : Scholastic Press,
an imprint of Scholastic Inc., 2011)

À Nicholas, Fahs, Gordon,
Skiegs et tous mes frères
de PS 51

Et il y a Quelque chose d'étrange – à l'intérieur –
La personne que j'étais –
Et celle-ci – ne semblent pas les mêmes –

Emily Dickinson

Première partie

1

Depuis la route, personne ne peut deviner ce qu'est Spring Meadow. Le panneau, niché sous un grand chêne, pourrait être celui d'une résidence pour seniors. Ou d'une chambre d'hôtes. Il fait penser au siège d'une grosse société ou à une antenne universitaire.

Le chemin qui conduit au bâtiment principal donne une impression trompeuse. Au début, on croit arriver sur une sorte de campus et puis on se retrouve à longer une suite de pavillons. Mais on voit bien qu'aucune famille ne vit dans ces maisons.

Au bout, on tombe sur un édifice moderne, de plain-pied, qui rappelle une école ou un complexe de bureaux. Il n'y a toujours aucun indice qui permette de savoir ce qu'est cet endroit. Pas de matériel médical, ni de fauteuils roulants. Pas de gens en blouse avec des blocs-notes, de gardiens ou d'agents de sécurité. On ne croise pas la moindre personne aux aguets, au cas où il faudrait gérer une situation d'urgence.

Si tu arrives par une nuit pluvieuse, dans des vêtements mouillés, avec du vomi dans les cheveux, personne ne court vers ta voiture pour t'aider à rentrer. Personne ne propose de te nettoyer. Tu te laveras plus tard, si tu veux. Comme pour beaucoup de choses à Spring Meadow, ça dépendra de toi.

Une odeur chimique règne dans le bâtiment. On finit par s'y habituer. Si tu es venu avec tes parents, ils iront parler à Mme Rinaldi. C'est elle qui recueille les informations pour le dossier médical du patient et les formulaires d'assurance. On t'installera dans une chambre une fois tous les papiers dûment remplis. Et si tu as seize ans, bien sûr, il faudra régler les questions de consentement et d'autorité parentale.

Si tu trembles légèrement ou que tu vois trouble parce que tu as des doses massives d'alcool et/ou de drogue dans le sang, tant pis pour toi. Ce n'est pas comme dans les films. Il ne faut pas t'attendre à une piqûre de sédatif pour calmer tes nerfs, ou à ce que quelqu'un t'enveloppe dans une couverture et passe un bras autour de tes épaules en te promettant que tout ira bien.

La première nuit, tu restes couché dans une espèce de cellule, sur un matelas trop dur, la tête posée sur un oreiller trop fin, à fixer le mur jaune et nu en face de toi. Si tu as, mettons, volé une voiture ce jour-là et que tu t'es mis dans le fossé avec, il est possible que tu sentes encore l'impact de l'accident dans les poignets et la poitrine. Tu auras des coupures, des égratignures et peut-être des bleus à cause de l'airbag. Tu verras sans doute des choses foncer sur toi à toute vitesse quand tu fermeras les yeux. Ce n'est pas marrant. Mais c'est ton problème.

Dans deux jours, tu seras propre et correctement habillé. Tu n'auras plus la nausée et tu y verras clair. Tu te promèneras en peignoir et chaussons, avec ton infusion à la main et ton programme du jour dans la poche. Emploi du temps : réunion d'information médicale sur l'alcool et les drogues, puis séance de thérapie contre l'addiction à l'alcool et aux drogues, et ensuite groupe de parole sur la dépendance à l'alcool et aux drogues. Les sujets ne sont pas très variés.

Mais c'est le but. Spring Meadow. Centre de désintoxication. Ce sont tes vingt-huit premiers jours.

D'une certaine façon, ce sont les plus faciles.

2

Je veux me brosser les dents mais je ne trouve plus mon dentifrice.

Il est neuf heures et demie. Je suis debout dans la salle de bains, en peignoir et sous-vêtements. J'ai purgé mes vingt-huit jours dans le bâtiment principal et je viens d'entamer ma deuxième semaine dans le pavillon de réadaptation.

Ça me soûle. Mais ce serait déjà plus supportable si je pouvais me brosser les dents. Ce qui est impossible puisque je n'arrive pas à mettre la main sur mon dentifrice.

Je sais que j'en ai. J'ai acheté un tube il y a deux jours au Rite Aid, l'épicerie du coin.

J'ouvre l'armoire de salle de bains. Je cherche, je déplace des trucs, j'en sors d'autres. Je suis certaine de l'avoir laissé ici.

Qui a pu me prendre mon dentifrice ?

Je referme l'armoire. Cette pièce est répugnante. Le sol est froid et poisseux sous mes pieds nus. Le miroir est tellement vieux et rayé qu'on voit à peine son reflet dedans. J'examine les tablettes le long du mur. Elles sont pleines de produits de beauté abandonnés. Shampooing, après-shampooing, crème pour les mains et le corps... Que des sous-marques.

Je retourne dans ma chambre. Ou plutôt *notre* chambre, avec ses six lits superposés et sa penderie collective. Je me mets à fouiller les étagères en balançant des affaires partout autour de moi.

Et là, je réalise qui a fait le coup : Jenna. La nouvelle. L'hystérique qui a piqué sa crise à propos des corvées de cuisine. Eh oui, la vie est dure, ma pauvre Jenna. On est obligé de faire la vaisselle la première semaine. C'EST COMME ÇA QUE ÇA MARCHE ! TOUT LE MONDE Y PASSE, FIGURE-TOI !

Ça me rappelle quelque chose. Trish a parlé de son fil dentaire. Elle en avait acheté et le lendemain, il avait disparu. C'est Jenna la coupable, j'en suis sûre.

Je fonce dans la chambre de Jenna. Comme je ne sais pas sur quel lit elle dort, ni quelle est sa valise, je flanque tout en l'air. Je vide carrément les placards.

Puis je reviens en trombe dans ma chambre. Je suis folle de rage. Je ne tiens plus en place. Je tourne sur moi-même en cherchant quelque chose à casser, à jeter ou à renverser. Si j'avais mon portable, j'appellerais Trish immédiatement. On retrouverait Jenna et on lui botterait son petit cul tout maigre. Mais je n'ai pas de portable à cause de mes débiles de parents qui m'ont enfermée ici et QUI M'ONT CONFISQUÉ MON TÉLÉPHONE COMME SI J'AVAIS SIX ANS !

Je regarde autour de moi. Je voudrais démolir un truc mais TOUT EST DÉJÀ DÉGLINGUÉ dans ce PAVILLON DE RÉADAPTATION POURRI, vu qu'il est rempli de VOLEUSES, de CAMÉES et de PROSTITUÉES MINEURES !

J'explose. J'attrape mon matelas et je le secoue, je le cogne contre le mur, si fort qu'un tableau se décroche et se brise par terre. Le cendrier secret d'Angela glisse entre les ressorts de son sommier et répand des cendres et des mégots sur mes draps, juste au-dessous.

Je prends un des tiroirs de la commode et je l'arrache du meuble. Les vêtements volent dans la pièce.

C'est à ce moment-là qu'un petit tube blanc glisse hors de la poche de mon peignoir, tombe et rebondit devant mes pieds.

Mon dentifrice.

Je le ramasse et je le fixe en silence.

3

Le lendemain, j'ai rendez-vous avec Cynthia, ma référente.

– Je sais maîtriser ma colère.

– Tu en es sûre, Madeline?

– Non.

Je suis obligée de l'admettre à contrecœur. Affalée dans le fauteuil, je me cure les ongles. Il y a un dépôt verdâtre dessous depuis que j'ai lavé les toilettes. On est de corvée de ménage dans les WC pendant la deuxième semaine au pavillon.

Cynthia me scrute avec son petit air habituel.

– À ton avis, d'où vient cette colère?

Les yeux rivés sur l'ongle de mon pouce, je réponds :

– De mon cerveau malade? De mon enfance difficile? Ou peut-être qu'au fond, je suis juste mauvaise de nature? Qu'est-ce que j'en sais, moi?

– Tu n'es pas mauvaise.

– Ça, c'est vous qui le dites.

Cynthia soupire.

– Alors, comment trouves-tu la résidence de transition?

– Vous voulez parler du pavillon? Il est sale et dégoûtant. Il me donne envie de gerber.

– Pourquoi tu ne le nettoies pas ?

– Mais je le nettoie. Je n'arrête pas. Quand je ne suis pas à mon prétendu « job », à la laverie. Je suis une ado – je devrais travailler au centre commercial. Plier des pulls chez Gap et draguer des garçons emo au Cineplex.

– C'est ce que font les adolescents normaux, d'après toi ?

– Je n'ai aucune idée de ce que font les adolescents normaux. Et je m'en fous.

Elle m'observe derrière son bureau.

– Comment tu t'entends avec les autres filles ?

– Alors... Jenna est une voleuse. Angela déteste les Blancs. Britney boit quinze canettes de Pepsi light par jour et si vous avez le malheur d'en toucher une dans le frigo, elle vous descend.

– Je croyais que Jenna n'avait pas volé ton dentifrice en fin de compte ?

– Non. Mais ça veut pas dire qu'elle ne vole rien. Vous avez vu sa tête ? Une racaille tout droit sortie de son mobile home.

– Et Trish ?

– Quoi, Trish ?

– Vous avez le même âge, toutes les deux.

– Elle a dix-huit ans. Moi, seize. C'est pas du tout pareil. D'ailleurs, je voulais vous demander : pourquoi on est obligées de vivre avec des vieilles ? Je hais les vieux. On ne pourrait pas habiter dans un pavillon avec que des jeunes dedans ?

– Tu penses vraiment que ça changerait quelque chose ? m'interroge patiemment Cynthia. Tu les aimerais mieux ?

En mon for intérieur, je reconnais que non.

– Quel est le problème avec Trish ? insiste-t-elle.

– Il n'y a pas de problème avec Trish. C'est juste que je n'ai pas besoin d'amis en ce moment. Je n'ai pas bu une goutte d'alcool, ni pris de drogue, depuis trente-huit jours. C'était ça, l'objectif, non ? Qu'est-ce que vous voulez de plus ?

– As-tu réfléchi à ce qu'elles ressentaient ? As-tu déjà songé que c'était dur pour Angela d'être ici ? Ou pour Trish ? Tu pourrais peut-être les aider, d'une manière ou d'une autre ?

– Pourquoi je les aiderais ? Comme si elles m'aidaient, elles ! Vous nous enfermez ici et après, vous voulez qu'on fasse votre boulot à votre place ? N'importe quoi...

– Je suggère seulement que la situation serait plus facile si tu te faisais des amies.

– Je n'en veux pas ! J'ai assez de mes propres problèmes.

Cynthia continue de me dévisager.

– Tu as besoin des autres, Madeline. Une fois qu'on sait ça, et qu'on l'accepte, on se sent beaucoup plus libre, crois-moi. S'ouvrir à autrui, se laisser épauler... C'est une délivrance.

– Ouais, bien sûr... Il ne faut pas trop m'en demander non plus, d'accord ?

– Bon. Si tu le dis.

4

Après le dîner, je me réfugie sur mon lit avec des mots croisés. Trish déboule dans la chambre et se plante sur le seuil. Si je devais décrire Trish, je dirais que c'est le genre de fille à traîner sur les parkings des lycées. Elle fume. Elle met trop de maquillage. Et elle ne pense qu'aux garçons.

– Salut, dit-elle.

Je lui réponds sans enthousiasme.

– Salut.

– Qu'est-ce que tu fais ?

– Rien.

– Ça te dirait d'aller à la soirée cinéma ce soir ?

– Non, pas trop.

– Allez, ça va être sympa. Tu pourras monter dans le van.

– Je suis déjà montée dans un van.

Elle s'appuie contre l'encadrement de la porte.

– Il y aura peut-être des mecs.

– Je croyais qu'on n'avait pas le droit de sortir avec des mecs.

– C'est ce qu'ils racontent.

Les sourcils froncés, j'efface une de mes réponses dans la grille.

– Je n'ai pas envie de m'habiller.

– Oh, soupire Trish. Tu ne veux pas aller quelque part ? T'en as pas marre de rester assise ici à rien faire ?

Si, carrément. En plus, on est en novembre et il n'arrête pas de pleuvoir. Je n'ai presque pas mis le nez dehors depuis une semaine.

Trish se redresse. Moi, je ne bouge pas de mon lit. Elle attend ma décision.

En me voyant jeter mes mots croisés sur la couverture, elle comprend qu'elle a gagné.

– Cool. On se retrouve devant.

Quinze minutes plus tard, nous voilà sur le perron – nous deux plus une autre fille du pavillon.

Le van de Spring Meadow nous prend à six heures vingt-cinq. Puis il continue à descendre la «Route de la Guérison» en s'arrêtant devant d'autres pavillons pour ramasser des gens. Le premier à monter après nous est un vieux type gay dans un blazer bleu. Ensuite, il y a un rockeur entre deux âges couvert de tatouages, suivi d'un garçon bizarre avec de grandes oreilles et une face de rongeur. Et le meilleur pour la fin : deux femmes d'une cinquantaine d'années affublées de survêtements horribles.

Le chauffeur nous conduit au centre-ville de Carlton, dont on a vite fait le tour puisqu'il se compose en gros d'une seule rue. Il se gare devant un cinéma à moitié délabré au nom vraiment original et bien trouvé : le Carlton.

On sort du van en se bousculant comme des attardés et

puis on reste tous plantés à côté. C'est vraiment la honte. Impossible d'imaginer un groupe d'êtres humains plus lamentable que le nôtre. Si je nous croisais, non seulement je changerais de trottoir, mais je foncerais directement prendre une douche à la maison.

Trish tape une cigarette à une des dames en jogging. Je ne la quitte pas d'une semelle pendant qu'elle fume. Au moins on est jeunes toutes les deux. Si on prenait soin de nous et qu'on enfilait des vêtements corrects, on aurait presque l'air présentables.

On poireaute. Personne ne connaît le programme, ni les horaires. De toute façon, personne n'a de montre. Évidemment il n'y a pas de volontaire pour aller se renseigner.

Vern, le vieux gay, finit par avoir une illumination. Il décide d'acheter des billets et de rentrer dans le cinéma. Le reste du groupe lui emboîte le pas.

Le Carlton est une poubelle. La moquette du vestibule pue le moisi. La tapisserie se décolle. Les couloirs sont froids, humides et parcourus de courants d'air. Par contre, le popcorn ne coûte qu'un dollar. C'est un bon point.

Trish et moi, on s'achète du pop-corn et un Coca chacune. On avance collées à Vern pour éviter de se faire draguer par le rockeur.

Dans la salle, on s'installe en rang d'oignons. Je m'assois complètement au bout. Trish se met à côté de moi. Après il y a Vern, et puis tous les autres. Les bandes-annonces démarrent. Je remonte la fermeture éclair de mon manteau, j'enfonce mon bonnet sur ma tête et j'inspire un grand coup.

C'est parti pour la soirée cinéma.

Le film commence. Il y est question de drogues et d'une

valise bourrée de billets. Pendant que les armes à feu pétaradent à l'écran, je me dis : *Je ne serais pas contre une bonne rasade de Jack Daniel's.* Ou de bière. Ou de n'importe quoi, en fait.

Je n'arrive pas du tout à suivre l'histoire. Je m'ennuie à mourir et je commence à sentir les prémices d'une attaque de fourmis – c'est quand ton corps crie à ton cerveau : OÙ EST NOTRE DOSE QUOTIDIENNE DE DROGUES ET D'ALCOOL ? JE LA VEUX. MAINTENANT !

Je me tortille sur mon siège. J'ai l'impression d'avoir des fils électriques tendus à l'intérieur de la poitrine et des épaules. C'est comme si un milliard de minuscules insectes envahissaient mon système nerveux. Je suis incapable de me concentrer sur le film, je serre les dents, les poings et j'ai la sensation que mon corps entier se retourne comme un gant.

Après, j'ai un gros blanc. Mon cerveau s'éteint. J'oublie complètement où je suis. Et cinq minutes plus tard, me voici de retour. Tout va bien, il ne s'est rien passé. Je pique du pop-corn à Trish.

Ça fait toujours ça quand les fourmis attaquent.

Le thriller est nul, et même de plus en plus nul. Il y a un passage débile où l'ex-flic voit une photo de ses enfants et se rappelle subitement à quel point il les aime. On entend carrément des violons sur la bande-son.

– On s'en fout ! lance Trish à l'écran.

– Chuuut, râle quelqu'un derrière nous.

De pire en pire. La scène d'amour est tellement niaise que ça me donne envie de vomir. Trish se met à glousser. Du coup, moi aussi. On n'y peut rien, on ne peut pas s'en empêcher. Forcément, des spectateurs se fâchent. Alors Trish éclate de rire si fort que du Coca lui sort par les trous de nez.

– Vous voulez bien faire moins de bruit ? dit un monsieur devant nous.

– Vous voulez bien me lécher la sucette ? rétorque Trish.

On finit par se calmer. Jusqu'aux dix dernières minutes où on se laisse un peu emporter par nos émotions. Il y a des courses-poursuites en voiture et des explosions partout.

– Tue-le ce bâtard ! hurle Trish au moment où le gentil pointe son revolver sur un des méchants.

– Tire-lui dans la tronche ! je renchéris.

Le public n'est pas content. On s'en fiche. La vie craint. Ce n'est pas notre faute.

5

Trish a failli tuer sa meilleure amie en conduisant bourrée. La fille est toujours à l'hôpital. Elle va rester paralysée, apparemment, à cause d'un problème avec une de ses vertèbres et sa moelle épinière.

Trish n'en parle jamais ; mais tous les deux jours, elle appelle les parents de sa copine, ou directement celle-ci. Après, elle ne décroche plus un mot de la journée. Quand je la retrouve ce vendredi soir, elle est complètement renfermée, repliée sur elle-même. Alors je lui propose de marcher jusqu'au bâtiment principal. C'est ce qu'on fait en général quand on déprime ou qu'on est de mauvaise humeur après une rude journée – on se réfugie là-bas comme on retournerait dans le ventre de nos mères.

On s'installe au salon pour jouer aux cartes. Trish vole du bon café dans la cuisine du personnel et on attaque une partie de gin-rummy. Le salon est sympa, beaucoup plus que notre pavillon de réadaptation. Au moins les meubles ne sont pas tous tachés et cassés.

Tandis qu'elle distribue les cartes, Trish sort de son silence :
– Tu vas te remettre à boire en sortant d'ici ?

– J'en sais rien. Et toi ?

Elle examine sa main et se défausse.

– En tout cas, je peux te dire que je ne prendrai plus le volant après avoir picolé. Ça, c'est clair.

Je tire une carte dans la pioche.

– Hum... Mais comment tu vas éviter de conduire ? Il faut bien se déplacer.

Elle hausse les épaules.

– Peut-être que mes parents accepteront de me prendre un chauffeur.

– Ouais, genre majordome.

– Avec un peu de chance, il sera canon. Peut-être qu'il ressemblera à Juan, le vigile.

Trish a flashé sur Juan, le vigile, dès son arrivée. Dustin qui travaille en cuisine lui plaît aussi. Ainsi que Sam de l'entretien. Il ne peut pas se passer grand-chose à Spring Meadow, cela dit. Le règlement interdit les flirts. Et ils ne plaisantent pas avec le règlement.

Je bois une gorgée de café volé dans la tasse de Trish. Je donnerais n'importe quoi pour un verre de Jack Daniel's, une simple bouffée sur un joint ou... bref, quelque chose.

– Déjà, comment on peut sortir avec quelqu'un sans avoir bu ? me demande Trish.

– Aucune idée.

– Franchement, ça me dépasse.

Je tire une carte et je la pose sur le dessus de la pile.

– Je m'imagine à une fête en train de dire aux autres : « Oh, non, merci, je ne bois jamais de bière », poursuit Trish. La bonne blague. Je pourrai jamais.

– Le plus simple, c'est encore de se cacher.

– Je ne vais pas me terrer chez moi pendant le restant de mes jours, répond-elle en jouant à son tour.

– Il y a sûrement d'autres moyens de rencontrer des garçons.

– Cynthia prétend que ça ne m'empêchera pas de fréquenter du monde. Mais tu en connais beaucoup, toi, des personnes de notre âge qui ne peuvent même pas avaler une foutue bière ? Je vais passer pour quoi ?

On abandonne notre partie le temps que Trish aille fumer sa clope dehors. Assise près d'elle sur le banc, je serre les poings et je les enfonce dans les manches de mon vieux manteau.

– Tu as un copain chez toi ? m'interroge-t-elle.

– Je n'ai jamais eu de véritable copain.

– Comment ça se fait ?

– Je ne sais pas. Sans doute un effet de ma personnalité rayonnante.

– Je me demande si j'ai déjà couché avec quelqu'un sans être bourrée... Ça m'étonnerait.

– Moi, je suis sûre que non.

– À ton avis, c'est comment ?

– Bien, je suppose. Vu la façon dont tout le monde en parle.

– Je n'arrive même pas à m'imaginer faire quoi que ce soit sobre, avoue Trish, le visage illuminé par le bout incandescent de sa cigarette. Je finirai sans doute par me tuer. J'ai déjà essayé une fois.

– Ah ouais ? Comment ça s'est passé ?

– J'ai raté mon coup, forcément. Je rate tout.

– Moi, je risque de frapper des gens.

– Sans rire ? Ça t'arrive de taper ?

– Parfois. Quand j'ai bu. Je suis un peu connue pour ça, en fait.

– Ah bon ? Par exemple, tu mets des coups de poing ?

– Ouais.

– C'est génial. Énorme.

– Il n'y a pas mieux pour rencontrer des flics.

Trish réfléchit un moment.

– J'adorerais coller des raclées. Comment t'as appris ?

– Un jour, j'étais très, très soûle et c'est venu tout seul.

6

Souvent, je passe mes nuits à gigoter sur mon lit en fixant le dessous de la couchette d'Angela. Je rêve tout éveillée. *Ce que j'aimerais une gorgée de Jack Daniel's... Une vodka-cranberry... De la codéine... Une bouffée sur un bong...*

Parfois, quand je suis plus calme, je cligne des yeux dans l'obscurité en me demandant ce que l'avenir me réserve. Vais-je terminer le lycée? Me trouver un travail? Me marier un jour? Ou est-ce que j'ai déjà anéanti toutes mes chances de vivre une vie normale?

Et puis, une nuit, alors que je suis à moitié endormie, je sens mon matelas bouger. C'est Trish.

– Je peux venir avec toi? murmure-t-elle dans le noir.

Je n'aime pas trop partager mon lit. Surtout avec des filles. Ce n'est pas mon truc. Mais Trish pleure. Elle a dû parler à sa copine, celle qu'elle a failli tuer. Les larmes ruissellent sur son visage.

– D'accord.

Je me décale et elle s'installe à côté de moi. Puis on reste allongées en silence. C'est bizarre. Elle a compris que je n'étais pas très branchée câlins, alors elle se pousse et me tourne le dos. Je me mets un peu sur le côté moi aussi, les yeux dans sa direction, comme dans la position des cuillères sauf que je ne la touche pas.

Je vois qu'elle essaie de ne pas pleurer mais elle ne peut pas s'en empêcher. Ses sanglots font trembler le lit.

– Ça va? je chuchote.

Elle hoche la tête sans un mot. Je fixe sa nuque. C'est terrible, ce qui lui est tombé dessus. Bien pire que ce qui m'est arrivé à moi. Elle a paralysé sa meilleure amie.

Je lui frotte un peu le dos et elle finit par s'endormir. Je sombre à mon tour.

Le lendemain matin, on se réveille en sursaut toutes les deux : Angela vient de mettre un coup de pied dans la tête de Trish sans le faire exprès.

7

Je suis face à Cynthia dans son bureau.

– Parle-moi un peu de ton surnom, me propose-t-elle.

– Qu'est-ce qu'il y a à en dire ? Les gens m'appellent Maddie le pit-bull.

– Pourquoi ça ?

– À votre avis ?

– Parce qu'il t'arrivait de te montrer agressive et hostile envers les autres ? suggère-t-elle.

– Ça doit être ça, oui.

– Pourquoi étais-tu comme ça ?

– Vous avez déjà mis les pieds dans un lycée ?

– Oui.

– Et vous n'avez pas remarqué que ce genre d'endroit grouillait de cons ?

– Pas spécialement, non.

– Ben, mon lycée, si.

Cynthia hoche la tête.

– Et les filles ? Tu avais des copines ?

– Vous écoutez ce que je vous dis ? J'étais entourée de *cons*.

Elle note quelque chose dans son cahier. Je déteste quand elle fait ça.

– Tu te battais avec des garçons ? me demande-t-elle.

– Parfois.

– Qu'éprouvais-tu quand tu frappais quelqu'un, que tu essayais de le blesser ?

– Vous voulez la vérité ?

– Bien sûr.

– C'était bon.

– Décris-moi plus précisément ce que tu ressentais.

– C'était excitant. Ça me donnait une bonne poussée d'adrénaline.

– Alors, en quelque sorte, il s'agissait d'une autre drogue qui venait s'ajouter à la liste de celles que tu prenais déjà ?

Je hausse les épaules.

– J'imagine.

– Donc, en réalité, tu n'étais pas vraiment en colère contre ces gens ?

– Évidemment que si, j'étais en colère contre eux.

– Mais pas à cause de ce qu'ils avaient fait. C'était plutôt que tu avais besoin de cette montée d'adrénaline.

– Croyez-moi, en général, ils ne l'avaient pas volé.

Elle jette son cahier sur le bureau.

– Tu sais ce qu'on dit : quand on rencontre au moins trois cons dans la même journée, soit on n'a pas de chance, soit le con n'est pas celui qu'on pense. À ton avis, c'est possible ?

– Quoi ? Que ce soit *moi*, la conne ? Non ! Vous plaisantez ?

Elle me regarde fixement.

– Non. J'ai pas de chance, point barre.

8

Le mardi suivant, on se fait belles pour la soirée ciné, Trish
et moi. On n'a pas grand-chose sous la main mais on se tar-
tine le visage du mieux qu'on peut avec le maquillage bon
marché acheté au Rite Aid.

Le van arrive. À part le chauffeur, il n'y a que Vern et une
inconnue à bord. Vern est de bonne humeur et il nous
raconte des blagues salaces sur tout le trajet jusqu'à Carlton.
On s'esclaffe en jouant à celui qui dira le truc le plus dégueu-
lasse. La femme est horrifiée. Elle me fait penser à une mère
au foyer venue d'une banlieue chic et accro au Stilnox.

Une dizaine de spectateurs sont installés dans la salle.
Vern, Trish et moi, on se moque du film. On bavarde. On
invente des ragots sur Juan le vigile. Les autres n'apprécient
pas. À un moment, quelqu'un menace d'appeler le gérant de
la salle.

– Vas-y, essaie, dit Trish. Et ma copine Maddie, là, elle va
te botter le derrière !

Je me ratatine sur mon siège en protestant.

– Mais non !

– Mais si, et je t'aiderai.

Une fois de retour au pavillon, on n'a pas très envie d'aller dormir. Alors on incite les autres à regarder *America's Next Top Model* et à faire des parties de gin-rummy. On ingurgite une telle quantité de Coca light qu'à la fin, un voile nous tombe sur les yeux. Les filles se mettent à raconter leurs expériences bizarres avec des garçons.

Angela parle de son cousin qui a commencé à la maquereauter en la vendant à ses copains quand elle avait douze ans.

Trish raconte comment elle a perdu sa virginité en quatrième, un soir où elle était tellement bourrée qu'elle ne tenait plus debout.

– C'était plus facile pour les frères Hartley, puisque je ne pouvais pas m'échapper.

Ça s'est produit dans le salon d'extérieur de ses parents, pendant qu'ils faisaient la fête chez eux. J'ai l'impression que la famille de Trish est un peu cinglée. Elle n'a même pas eu besoin de quitter son domicile pour se mettre dans de beaux draps.

Moi, c'est tout le contraire. Je m'ennuyais tellement à la maison que je pétais un câble. Mes parents me pinçaient souvent en train de faire le mur, du stop ou d'essayer de partir avec la Volvo de ma mère.

Elles sont toutes atterrées quand je leur parle du stop, comme si elles n'avaient jamais rien entendu d'aussi flippant.

Cette nuit-là, quand je vais me coucher, je suis complètement surexcitée à cause du Coca. La caféine et les additifs chimiques m'ont presque rendue malade. J'ai la chair de poule. C'est insupportable. Au bout d'un moment, j'ai une attaque de fourmis si violente que je repousse mes couvertures en battant des jambes avant de donner au moins vingt coups de pied dans le mur. Puis je reste allongée, essoufflée, à jurer tout bas.

Personne ne réagit. Pas même Angela qui dort au-dessus de moi.

Question d'habitude. Cela arrive souvent que quelqu'un disjoncte la nuit à Spring Meadow. À force, on devient tolérant.

9

Et un jour, Trish rassemble ses affaires. Elle est allée au bout des huit semaines dans le pavillon de réadaptation. Elle rentre chez elle.

Je ne sais pas pourquoi j'avais refusé de la considérer comme une véritable amie jusqu'à maintenant. Mais à l'instant où je prends conscience qu'elle s'en va, je panique au point d'avoir la nausée.

Assise sur son lit, je la regarde plier et fourrer ses vêtements dans sa valise. Elle s'inquiète au sujet de ses cigarettes parce qu'elle a dit à ses parents qu'elle avait arrêté alors que c'est faux. Elle tente de les cacher à plusieurs endroits, se demande si elle ne devrait pas en profiter pour essayer d'arrêter et sort en griller une pendant qu'elle réfléchit à la question.

Je ne parle presque pas. Après le départ de Trish, il ne restera plus qu'une seule jeune dans le pavillon à part moi : Jenna. Je ne peux pas devenir amie avec elle. Impossible. Elle est horrible. Une bête sauvage.

Trish me laisse le maquillage qu'on a acheté au Rite Aid, ainsi que les barrettes et le gloss pour les lèvres. Elle veut me donner des trucs, parce que c'est ce que font les gens quand ils se disent au revoir. Moi aussi, je voudrais lui offrir un souvenir. Mais on n'a rien, en dehors de quelques fringues moches, de nos joggings et des bricoles qu'ils nous autorisent à garder ici : romans pourris, barres chocolatées, chewing-gums...

Elle me refile un jeu de cartes dont elle avait oublié l'existence et qui n'a jamais été ouvert. Je le lui échange contre un porte-clés en plastique qui n'a aucune signification particulière.

– Je vais vraiment essayer de décrocher cette fois, me déclare-t-elle à voix basse. J'ai renoncé trop facilement jusqu'à maintenant. Là, je vais faire du yoga, de la méditation, aller aux Alcooliques anonymes et tout.

Je hoche la tête, pleine d'espoir.

Je l'aide à porter ses affaires jusqu'au perron. Puis on s'assoit. Sa mère ne devrait pas tarder. Les yeux rivés sur le bras du fauteuil, je pense à tous ceux qui se sont installés à cette place en attendant qu'on vienne les chercher, en attendant de commencer une nouvelle vie. En réalité, très peu ont la chance d'obtenir un nouveau départ. La plupart retournent droit à leurs anciennes habitudes. Cynthia n'arrête pas de le répéter. Les statistiques ne sont pas belles à voir.

Un Cadillac Escalade noir surgit sur la route et se gare devant le pavillon. Je découvre la mère de Trish. Elle lui ressemble beaucoup. C'est une sorte de version plus âgée de sa fille. Elle a un balayage ringard, des seins sûrement refaits et elle porte une tonne de maquillage. Elle est accompagnée par sa cadette. À peine descendue de la voiture, celle-ci danse en chantant dans sa brosse à cheveux et en contemplant son reflet dans la portière. Tout à coup, j'ai de la peine pour Trish. Voilà la famille de génies qui l'a laissée se faire violer dans son propre jardin.

Sa mère traverse prudemment la cour boueuse afin de protéger ses chaussures de marque. Arrivée devant nous, elle prend Trish dans ses bras. Elle semble épuisée nerveusement. Inquiète aussi, et aimante.

Ça me tue. Sérieux. Ça me fend le cœur.

Sa drôle de petite sœur l'embrasse à son tour et puis Trish fait les présentations. Lorsque je m'avance pour lui serrer la main, sa mère me dit :

– Trish nous a beaucoup parlé de toi. Il paraît que tu as été une très bonne amie pour elle.

– Je n'ai rien fait d'extraordinaire, je marmonne.

– Merci, insiste-t-elle en me donnant une poignée de main chaleureuse. Merci beaucoup.

Nous traînons les bagages jusqu'à la voiture pendant que la petite sœur continue de se trémousser et de tortiller des fesses.

Trish s'installe sur le siège du passager. Je reste plantée à côté de la portière tandis que le moteur démarre. Mon amie baisse sa vitre.

– Tu m'appelleras ? demande-t-elle.

J'acquiesce d'un signe de tête.

Le SUV s'éloigne. Je le regarde disparaître au bout de la rue avec l'impression qu'on m'arrache le cœur.

C'est si étrange d'être sobre. On est sans défense face aux événements pénibles. On est obligé de tout ressentir. Pas le choix.

10

Sans Trish, la situation n'est plus la même dans le pavillon. Maintenant je suis enfermée avec une bande de vieilles sorcières. Alors je reste dans ma chambre autant que possible. J'ai commencé à lire un exemplaire défraîchi du *Fléau* de Stephen King. Parfois je me cache dans la salle de bains pour m'arracher des bouts d'ongle sur les orteils ou bouquiner pendant des heures.

Plus tard cette semaine-là, l'administration change nos lits de place pour pouvoir accueillir deux nouvelles pensionnaires. Il y a Margarita, qui vient du Nicaragua et qui a tué son mari en lui tirant dans le ventre après avoir trop bu. La seconde est une femme riche et glaciale qui ne porte que des survêtements mais qui passe deux heures chaque matin à se coiffer et à se maquiller.

Trish me manque cruellement.

Le lundi, j'ai rendez-vous avec ma référente Cynthia. Elle affirme que je dois davantage m'ouvrir aux autres et ne pas les juger trop vite.

– Ta maladie veut t'isoler. Elle veut te couper du reste du monde.

Ils ont des façons de parler bien à eux en désintox. Être une conne hargneuse est une « maladie ».

11

Peu après, mon père m'appelle.

Mon père n'est pas n'importe qui. Avant, il travaillait en tant qu'ingénieur pour la NASA, ensuite il a dirigé une entreprise d'énergie solaire et maintenant il est consultant. Si bien qu'il voyage constamment partout dans le monde pour lever des fonds auprès de gens riches et influents. Je pense qu'il trompe ma mère pendant ses déplacements. Mais bon. C'est pour le bien de la famille. Il rapporte des tas d'argent.

On entame la conversation. Évidemment, il est très occupé, à court de temps et ne sait pas quoi dire. Au moins, il fait de son mieux. Je préfère ça à une discussion avec ma mère. Elle ne peut pas s'empêcher de me dispenser ses conseils. Ça n'a jamais marché ; d'abord parce que je suis dix fois plus futée qu'elle et puis parce que, de toute façon, je finis toujours par faire ce que je veux. Mais on ne changera pas la dynamique de notre famille, avec d'un côté maman qui ne comprend rien et qui s'énerve, pendant que mon père et moi, on cherche à savoir jusqu'où on peut aller *trop loin* sans risquer de se faire prendre.

Plus tard, de retour dans ma chambre, je me dispute avec

la Duchesse au Survêtement parce qu'une de mes chaussettes sales a pénétré dans son espace vital.

Tandis que nous « débattons » de ce problème, je la fixe en hésitant à lui balancer un coup de poing en pleine figure. Je suis à deux doigts de craquer... et puis je me rends compte que je suis une dégonflée quand je n'ai pas bu.

Cette nuit-là, nous apprenons quelque chose de nouveau au sujet de Margarita, celle qui a buté son mari : elle ronfle. Si fort que les carreaux des fenêtres vibrent. J'ai l'impression d'entendre un bison blessé grogner à moins de dix centimètres de mon oreille. Et quand elle ne ronfle pas, elle jacasse dans son sommeil. En espagnol.

Cet endroit est une maison de dingues.

12

Vern s'en est allé à son tour. Je le découvre le mardi suivant, au cours de la soirée ciné. Lorsque le van s'arrête devant mon pavillon, il est vide. Vern venait toujours au cinéma, qu'il vente ou qu'il pleuve. Étonnée, j'interroge le chauffeur :

– Où est Vern ?

– Envolé. Il est retourné à Estacada.

– Il est parti ?

– Il reviendra, affirme le chauffeur. Vern finit toujours par revenir.

Je monte, je ferme la portière derrière moi et je me laisse tomber sur un siège, sonnée. Plus de Vern ? Plus de Trish ? Comment je vais survivre ici, moi ?

Je regarde par la vitre, les yeux dans le vague. Il pleut, il fait froid et je n'ai sur moi qu'un horrible survêtement sale qui ne me tient pas assez chaud.

– Le ciné n'a pas beaucoup de succès ce soir, dit le chauffeur en freinant devant le pavillon suivant.

Je scrute à travers le carreau brouillé par la pluie. Personne.

On remonte la Route de la Guérison jusqu'à la dernière

maison. Je guette. Ah... oui, cette fois, il y a quelqu'un. Un gars, je crois, debout sous le porche. Il porte un manteau kaki par-dessus un pull à capuche.

Il a l'air embêté. Il ne sait pas trop quoi faire. Au bout d'un moment, il finit par descendre les marches du perron en sautillant et il s'avance vers nous, les yeux plissés à cause de l'averse.

– C'est pour le ciné ? demande-t-il au conducteur.

– Ouaip. Allez, grimpe.

Il ouvre la porte coulissante, et s'aperçoit alors qu'il n'y a que moi à l'intérieur.

– Ah... lâche-t-il en contemplant l'habitacle vide.

Il s'assoit à l'extrémité de ma banquette.

Il est grand et maigre, avec les cheveux teints en blond. On dirait une rock star. Peut-être qu'il était riche et célèbre avant de claquer tout son fric en drogues et en prostituées. Il paraît qu'on en croise parfois des comme ça à Spring Meadow.

– D'autres gens vont venir ? demande-t-il.

– Pas ce soir, répond le chauffeur.

Je me tais. Je regarde par la fenêtre en lui tournant le dos.

Et puis je me rappelle les recommandations de Cynthia. Je dois m'efforcer d'être sympa avec les gens, me faire des amis et ne pas juger trop vite. Alors je pivote et j'essaie de lui sourire. Je ne m'étais pas encore rendu compte à quel point il était jeune. Il a mon âge. C'est un gamin.

Le van poursuit son itinéraire. Le garçon reste muet. Il paraît vaguement ahuri, sous le choc. Je connais, je suis passée par là moi aussi.

On continue de rouler. Au bout d'un moment, il demande au chauffeur quel film on va voir.

– Alors là ! Moi, je conduis, c'est tout.

Il m'interroge des yeux.

Je hausse les épaules.

– Moi, j'y vais, c'est tout.

– OK... dit-il en fixant l'obscurité devant lui.

Le trajet jusqu'à Carlton dure environ un quart d'heure. Le chauffeur suit un talk-show consacré au sport à la radio. On écoute en silence.

Arrivés devant le ciné, le gars descend d'abord, moi ensuite. Le chauffeur me fait au revoir avec la main avant de s'éloigner.

On se retrouve tout seuls sur le trottoir. J'évite son regard.

– Je m'appelle Stewart, dit-il.

– Moi, c'est Maddie.

– Qu'est-ce qu'on fait maintenant ?

– Si on entrait ?

Les billets à la main, on fait le pied de grue dans le hall, nerveux. On ressemble à un couple, ce qui rend la situation encore plus embarrassante. Je prends la parole :

– Le pop-corn ne coûte qu'un dollar.

– Ah ouais ?

– En général, on en achète.

– Dans ce cas, prenons-en.

On se dirige vers le comptoir. Un garçon du coin qui doit avoir dans les quatorze ans nous sert. Il observe le grand Stewart, l'imposant Stewart, avec un mélange d'admiration et de crainte.

À l'intérieur de la salle, l'ambiance devient encore plus tendue entre nous. Doit-on s'asseoir côte à côte, ou laisser un

46

siège vide entre nous ? Je finis par opter pour la deuxième solution. Mais l'irruption d'autres spectateurs nous oblige à nous serrer.

On n'échange pas un mot. Pendant les bandes-annonces, je l'étudie discrètement dans la faible lueur diffusée par l'écran. Il a des yeux foncés et luisants, le teint pâle, des traits taillés à la serpe avec des pommettes hautes et saillantes. Honnêtement, il est super mignon.

Et moi, je porte un survêtement de clocharde et une doudoune avec des taches de nourriture dessus. Je suis bouffie, je pue et j'ai les cheveux sales.

C'est comme ça.

Je continue de lui jeter des regards en coin. Il a un tatouage à l'intérieur du poignet gauche et un petit anneau en argent à l'auriculaire droit. On dirait une bague de fille. Je me demande à qui elle appartient.

Il n'arrête pas de remuer pendant le film. Il vient juste de quitter le bâtiment principal, ce qui signifie qu'il est toujours régulièrement victime d'attaques de fourmis. Il se ronge les ongles, se passe la main dans les cheveux et gigote sur son siège.

Quand les lumières se rallument, on a tous les deux les jambes étendues sur les dossiers des fauteuils de devant. Aucun de nous n'esquisse le moindre geste. Je ne sais pas pourquoi on ne bouge pas. Les autres spectateurs sortent à la queue leu leu en nous fixant, l'air de penser : mais qui sont ces voyous avachis dans le fond ?

Stewart se sent mal. Il a la tête du gars qu'il vaut mieux éviter de croiser le soir au coin d'un bois.

Il finit par se lever. Je l'imite. Je le suis dans le hall puis à l'extérieur.

Nous voilà debout dans la rue et le froid. Le silence entre nous se prolonge douloureusement.

– Et maintenant ? demande-t-il.

– En général, on attend le retour du van dans un café où ils vendent des donuts.

– OK.

Il y a la queue au comptoir. On se met dans la file d'attente derrière un groupe de lycéens. Ils rient, se taquinent, chahutent. Ils ne nous remarquent pas au début, jusqu'à ce qu'une fille se retourne et tombe nez à nez avec Stewart. Elle se tait brusquement.

On commande des cafés et des donuts. Après avoir sorti un tas de bricoles de sa poche, Stewart trouve deux billets froissés pour payer. Il se dirige vers une banquette à côté de la fenêtre et s'assoit. Je le talonne et m'installe face à lui.

Je suis gravement en manque de sucre, au point d'en mettre six morceaux entiers dans ma tasse. Stewart m'observe mais ne fait aucun commentaire.

Je bois une gorgée de café du bout des lèvres. Il est trop chaud. Je le repose et je mords à pleines dents dans mon donut recouvert d'un glaçage.

Stewart prend une bouchée de son beignet fourré à la confiture. Tout en plongeant deux sucres supplémentaires dans ma tasse, je lui confie :

– Ça m'arrive d'avoir des fringales de sucre.

– Là, ça fait beaucoup quand même.

– De toute façon, j'arrive pas à dormir, alors qu'est-ce que ça change?

– Ouais, c'est pas évident de dormir.

Il regarde par la fenêtre. Les lycéens traversent le parking. Ils forment une bande de teenagers américains heureux. Ils déverrouillent le système centralisé de leur voiture à trois mètres de distance. Ils éclatent de rire. L'un d'eux saute sur le dos d'un autre.

Je détourne les yeux et j'examine le visage de Stewart. Il est tellement beau que c'en est presque insoutenable. Alors je regarde ses mains. Ses doigts sont noueux et abîmés. Il a une grosse cicatrice sur une articulation.

– Tu as quel âge? je lui demande.

– Dix-neuf. Et toi?

– Dix-sept. Et puis je décide de ne pas mentir : Enfin, presque. J'aurai dix-sept ans dans trois semaines.

Il sirote son café.

– J'avais une copine ici. Trish. Elle avait dix-huit ans. On était les seules jeunes dans notre pavillon, à part Jenna. Elle, elle est bizarre par contre.

Il fixe ma tasse de café.

– Seize ans. C'est vraiment jeune.

– Ouais. J'ai commencé tôt.

– Hum. Moi aussi.

– Ça m'est... tombé dessus, en quelque sorte.

– Ouais. Pareil.

Le retour passe vite. Trop vite. J'ai encore envie de parler. Pas tellement parce que Stewart est mignon. D'ailleurs, je préférerais qu'il soit moins beau. C'est plutôt que les conversations avec lui sont faciles. Non, même pas. Je trouve juste ça agréable de rester près de lui. Bon, la vérité, c'est qu'il me plaît. Je crois.

Mais il est perdu dans ses pensées pendant le trajet. Et je ne trouve rien à lui dire. Quand il descend devant son pavillon, je ne peux pas m'empêcher d'agiter bêtement la main en lançant :

– À plus.

Il me regarde bizarrement avant de claquer la portière.

Le van se remet en route.

Et là, il m'arrive un truc incroyable : les larmes me montent aux yeux. Sans raison apparente, je me mets à pleurer.

– Comment était le film ? demande le chauffeur.

J'essuie mes larmes dans le noir.

– Pas mal.

– Il parlait de quoi ?

– Aucune idée.

13

Le lendemain, je reçois la visite de mon père. Il débarque dans sa BMW neuve et m'emmène à Carlton.

On déjeune dans le seul restaurant sympa de la ville. Nous voilà assis à table avec nos serviettes sur les genoux. Mon père est bronzé, beau, il porte un chouette costume. Les gens du coin le dévisagent, bouche bée. Lui s'en fiche. Les regards admiratifs ne l'ont jamais dérangé, bien au contraire. Évidemment il réclame de mes nouvelles, mais il ne peut pas résister à l'envie de me parler de son nouveau projet et de me raconter comment il a réussi à convaincre des Japonais – ceux qui ont inventé les petits animaux de compagnie robotisés – de le financer.

Ensuite il joue au papa. Il prend une mine inquiète et il me demande comment je vais.

Le truc avec mon père, c'est qu'il était lui-même un gros fêtard. Il l'est toujours d'ailleurs. Donc, de son point de vue, je dois simplement apprendre à mieux « gérer », à m'arrêter au bon moment. Il pense que mon problème vient d'un manque de contrôle. Ce qui est vrai. D'une certaine façon.

On avale notre repas. Papa n'en finit pas de vanter son

poulet délicieux, il en fait des tonnes. Il drague la serveuse et lui laisse un gros pourboire.

De retour au pavillon, il se gare dans la rue. Il veut rentrer voir à l'intérieur, mais je lui dis qu'il ne vaudrait mieux pas, que c'est déprimant, alors il n'insiste pas.

– Ta mère et moi, nous avons discuté avec ton proviseur à Evergreen, déclare-t-il. Tu pourras y retourner après Noël. Il a parlé de sessions d'été auxquelles tu pourrais t'inscrire pour rattraper ce que tu as manqué cette année. Enfin, tout dépendra de la façon dont les choses évoluent, bien sûr. Et de ce que dira le docteur Bernstein.

Je ne réponds pas. Je n'ai pas du tout envie de retourner à mon ancien lycée.

– Je pourrais peut-être suivre un programme par correspondance et passer les examens en candidate libre ?

– Pourquoi cela ? Il n'y a aucune raison que tu rates tes derniers mois de lycée.

– À quoi ça va me servir, le lycée ?

– Ça fait partie du parcours normal, c'est une étape importante dans la vie. Il te reste encore toute l'année de terminale à passer.

– Mais qu'est-ce que je vais y faire ? Je n'ai même plus d'amis là-bas.

– Tu vas en rencontrer de nouveaux. Et puis il n'y a pas que ça qui compte au lycée.

– Ah bon ? Quoi d'autre, alors ?

– Travailler. Se préparer aux études supérieures.

Encore un sujet qui promet des discussions houleuses avec mes parents. Ils continuent de se figurer que j'irai à la fac.

– Je ne pense pas que des cours par correspondance soient

la bonne solution, dit-il. En y réfléchissant bien, tu change-ras peut-être d'avis.

Je détache ma ceinture.

– En tout cas, je sais que je ne veux pas retourner à Evergreen. Tu as une idée du nombre de personnes qui ne peuvent pas me sacquer là-bas ?

– Sûrement moins que tu ne crois. Tu veux bien reconsidé-rer la question, au moins ? Il n'y a pas urgence à se décider maintenant.

Ma mère me téléphone le soir même. Il fallait s'y attendre. Je suis obligée de la prendre sur la ligne du pavillon, devant tout le monde. Notre conversation se déroule exactement comme d'habitude.

– Ton père m'a dit que vous aviez passé un bon moment au déjeuner.

– Oui.

Je sais à l'avance que la dispute ne va pas tarder à éclater.

– Il paraît que vous avez eu une discussion très construc-tive.

– Oui, je réponds sur le même ton.

– Cependant il y a une chose qui m'a embêtée. Il m'a appris que tu envisageais de prendre des cours par correspondance ?

– Oui, c'est vrai.

– Mais Madeline, pourquoi ?

– Parce que, maman. C'est ce que font les gens dans ma situation.

– Pourtant tu aimais bien l'école avant.

– J'ai un peu brûlé les ponts, maman. Alors maintenant, je

n'ai plus cinquante options. Suivre un programme par correspondance me semble être le choix le plus sensé.

– Mais pourquoi?

Je me tourne face au mur.

– Pour ne pas subir l'humiliation de ma vie en retournant là-bas!

– Personne ne va t'humilier. Les gens sont capables de pardonner.

– Ce n'est pas le problème, maman.

– Je ne comprends pas. Même si tu réussis en candidate libre, où iras-tu après? Tu n'as que seize ans. Tu ne peux pas prendre un travail à temps plein.

– Maman, j'aurai dix-sept ans dans trois semaines. Un tas de gens se mettent à bosser à dix-sept ans. En tant que salariée, j'aurai droit à une formation.

– Je trouve que c'est absurde. Ton père est très optimiste au sujet de ton avenir. Il fait tout ce qu'il peut pour t'aider.

– Tout ce qu'il peut? Tu plaisantes? Tu sais où je suis, là, maman? Tu sais où je dors?

– Je sais, chérie, mais...

– Je dors dans des lits superposés avec des femmes qui ont commis des meurtres à l'arme à feu!

– Ma chérie, je sais. Mais il faut que tu comprennes que ce n'est pas facile pour nous non plus. Ton père s'est rongé les sangs. Tu sais combien coûtent les consultations du docteur Bernstein? Et tout n'est pas couvert par la mutuelle, figure-toi.

– D'accord, maman. OK. Je suis une mauvaise fille et vous êtes des victimes.

– Ne déforme pas mes propos. Tout ce que je veux dire,

c'est que tu pourrais au moins prendre ses conseils au sérieux. Ton père est considéré par beaucoup de monde comme un homme très intelligent.

– D'accord, maman, il faut que j'y aille.

– On a consacré beaucoup de temps à cette histoire. Je parle avec le docteur Bernstein presque tous les jours.

– D'accord, d'accord, j'y réfléchirai.

Je suis pressée parce que Margarita vient juste de mettre *America's Next Top Model* à la télé, ma nouvelle émission préférée.

– C'est tout ce qu'on te demande.

– OK, je file.

Je raccroche et je fonce m'installer devant le poste.

14

Deux jours plus tard, pendant mes heures de travail à la laverie, je lève les yeux de mon *Us Weekly* et je regarde dehors par hasard. L'équipe d'entretien est en train d'intervenir sur le gazon. Parmi eux, j'aperçois Stewart en bleu de travail. Ses cheveux blonds dépassent de sous une casquette de base-ball.

Je m'approche de la fenêtre pour observer le groupe. Ils discutent en piochant la terre avec leurs pelles. Le travail n'avance pas vite. Stewart reste à l'écart. C'est un bébé par rapport aux autres.

Je m'assois sur le rebord de la fenêtre et je l'épie. Il s'adosse à la camionnette. Boit son café. Sort une pelle du véhicule, s'appuie dessus et la range presque aussitôt.

Quelques minutes plus tard, l'équipe remonte dans l'utilitaire et s'éloigne. Je retourne à mon fauteuil et je reprends mon magazine. J'essaie de lire mais je n'arrive pas à me concentrer. Plus maintenant. Je me dirige de nouveau vers la vitre et je fixe la pelouse déserte.

Je me remémore la soirée que j'ai passée à Carlton avec Stewart. Dans ses moindres détails. Je songe à ce qu'il a dit.

À ce que j'ai répondu. À son allure, là, planté sur le trottoir, avec ses épaules carrées et son visage silencieux...

Puis je descends de mon nuage et je me rassois. Je ne sais pas pourquoi je rêvasse. Je suis sortie avec des tas de garçons. Ça n'a jamais rien donné.

J'attrape mon *Us Weekly* d'un geste sec. C'est ridicule, rien que d'y penser.

15

Une nouvelle soirée ciné s'annonce. Je n'ai pensé qu'à ça depuis la dernière. Dans la journée, je file discrètement au Rite Aid et je déambule dans les allées en cherchant quelque chose qui puisse me rendre un minimum séduisante. Ce n'est pas facile. Je suis livide, bouffie. J'ai pris quatre « kilos de sevrage ». J'ai d'énormes valises sous les yeux. J'essaie plusieurs teintes de gloss pour les lèvres, fais des essais avec les ombres à paupières. Pour finir, je pique une noisette de Préparation H et je l'applique sur mes cernes.

De retour au pavillon, je fouille dans mes affaires. J'ai une jolie jupe au fond de ma valise. Je me glisse dedans. Je retrouve mes chaussettes bleues préférées que je mets aussi. J'enfile mon seul T-shirt propre et je me brosse les cheveux.

Margarita observe mes préparatifs depuis son lit.

– C'est le grand soir pour toi, *sí* ?

– Non, je vais au ciné.

– Et tu te fais belle ? Juste pour le ciné ?

Inutile de mentir.

– J'ai rencontré un garçon la dernière fois.

– Ahhhh... Je vois. La soirée ciné !

J'étudie mes cheveux dans le miroir.

– Tu veux venir ?

– *No, no.* Pas de garçon pour moi. J'ai tué mon mari.

– Justement, ça pourrait te servir de séance d'entraîne-
ment. Tu sais, pour t'habituer à ne pas buter les gens.

– *No.* Vas-y, toi. Amuse-toi bien.

J'attends sous le porche. Quand je vois le van arriver, je
m'approche en courant. Il y a déjà du monde à l'intérieur :
deux femmes et un petit maigrichon qui porte des lunettes
réparées avec du scotch.

À l'arrêt suivant, deux autres personnes montent. Ça va
être bondé ce soir. Je ne sais pas si c'est une bonne ou une
mauvaise chose. Au dernier arrêt, je me dévisse le cou en
tentant d'apercevoir Stewart sur le perron...

Il est là.

Je me renfonce aussitôt dans mon siège, je me plaque
contre le dossier et je fourre les poings dans les poches de
mon manteau. Mais qu'est-ce que je fabrique ? Qu'est-ce qui
risque de m'arriver, hein ?

Il est accompagné d'un type plus vieux. Ils sont en train de
discuter.

Je suis assise dans le fond à côté d'une des femmes.
Absorbés par leur conversation, Stewart et son copain se
serrent sur une banquette à l'avant. Je me penche légèrement
pour essayer d'écouter ce qu'ils disent. Ils parlent de drogues.
Soudain j'ai envie de hurler : « Moi aussi, je me suis droguée.
Des tas de fois. J'ai pris des analgésiques, fumé du hasch,
sniffé de la coke. Je me suis fait arrêter. J'ai volé une voiture.

J'ai couché avec un dealer et j'ai même réussi à me faire virer de chez moi. J'ai... j'ai... »

Je me cale de nouveau sur mon siège en fermant les yeux, la tête basse. Pourvu que je ne passe pas pour une débile ce soir.

16

– Salut Maddie, me lance Stewart lorsque je descends du van.

– Salut, je lui réponds d'un ton détaché.

Il traîne tandis que son copain entre à l'intérieur du cinéma. Il m'attend.

– Je ne t'avais pas vue au fond du van.

– Oh! J'ai toujours fait partie des cancres assis au dernier rang.

Il sourit. Ça me fait chaud partout.

On marche à l'écart des autres. Stewart ne me parle pas pendant qu'on achète nos billets mais j'ai l'impression qu'il a envie de rester près de moi.

En même temps, c'est logique. On est les seuls ici à avoir moins de trente ans.

– Tu veux du pop-corn?

– Ouais, acquiesce-t-il.

Il m'accompagne au comptoir. Le même ado boutonneux que la semaine précédente nous remplit deux gros cornets de pop-corn. Il adresse un sourire respectueux à Stewart.

Une fois dans la salle, on s'assoit avec notre groupe, en bout de rang, juste à côté l'un de l'autre.

Les bandes-annonces défilent. Je ne peux pas m'empêcher de rire de trucs qui ne sont même pas drôles. Je suis hyper nerveuse.

Le film démarre. C'est à moitié un thriller, à moitié un film d'horreur fantastique. Je n'avais pas anticipé ça. Les films d'horreur me font flipper.

J'arrive à le suivre en fermant les yeux et en fredonnant tout bas pendant les passages les plus horribles. Stewart ne semble pas remarquer. En tout cas, il ne fait aucun commentaire.

Quand les lumières se rallument, toute la bande sort en traînant les pieds. Puis on traverse la rue pour aller manger un donut. J'essaie de ne pas m'éloigner de Stewart mais son copain se rapproche et l'entraîne à part. Je me retrouve coincée entre deux inconnues.

Ça m'énerve.

À l'intérieur du café, on s'installe autour de deux tables. Je suis bloquée à la fin de la file, du coup il n'y a plus de place libre près de Stewart quand je rejoins les autres. Trop tard, je n'y peux rien. Je suis obligée de l'observer à distance – assis là, timide, silencieux, craquant. Tout le monde l'adore. Surtout les femmes. Elles meurent d'envie de le prendre dans leurs bras. Ça me rend malade.

Les hommes monopolisent la conversation en racontant, comme d'habitude, leurs histoires de vétérans : la fois où ils se sont fait arrêter, la fois où ils ont embouti leur voiture... Bref.

Je m'efforce de ne pas fixer Stewart. Mais c'est presque impossible. Il est tellement beau, avec un air triste et fascinant – en un mot : parfait. Si seulement on n'était que tous les deux. Si seulement on pouvait se parler.

Le temps joue contre moi. Il ne reste plus que neuf minutes avant le retour du van. Je garde les yeux plongés dans ma tasse de café. Stewart a oublié que j'étais là, de toute façon. Je ne sais pas à quoi je m'attendais.

Et puis, à neuf heures et demie, au moment où on se rassemble dehors, il s'avance vers moi.

– Hé !

– Coucou. (Je réfléchis à ce que je pourrais ajouter. Ça ne vient pas facilement.) Je t'ai vu avec l'équipe d'entretien, l'autre jour.

– C'est vrai ?

– Vous étiez dehors, sur la pelouse.

– Ah oui. On réparait les arroseurs.

– Qu'est-ce qu'ils avaient, les arroseurs ?

– Parfois ils gèlent l'hiver et ils se cassent.

– Ah.

Le van apparaît. Cohue devant la portière. Je m'assois dans le fond et je m'avachis sur le siège, pour changer. D'autres gens montent derrière moi. Arrive le tour de Stewart. Il s'approche et s'assoit près de moi.

– Faut croire que je suis du genre « cancre du dernier rang » moi aussi, plaisante-t-il.

Le van commence à rouler. On a pris soin de laisser quelques centimètres d'écart entre nous, Stewart et moi. À l'instant où je tourne la tête pour le regarder, il fait pareil et éclate de rire.

– Quoi ?

– Je ne sais pas, répond-il. C'est drôle, c'est tout.

– Qu'est-ce qui est drôle ?

– Qu'on se rencontre comme ça.

– Quoi ? Dans un van ?

– Non... je te parle de la situation en général.

On bavarde à voix basse. Mais c'est une précaution inutile parce que les autres sont absorbés dans leurs propres conversations.

– Je ne vois vraiment pas ce que ça a de drôle.

– Tu as peut-être raison.

– Je suis contente que tu sois venu te mettre à côté de moi.

Mon cœur bat fort pendant que je lui fais cet aveu.

– Ah bon ?

– Je regrette qu'on n'ait pas eu plus de temps pour discuter ce soir.

Il regarde droit devant lui.

– Oui, dit-il. Dommage.

Je détourne les yeux tandis que mon cœur tambourine dans ma poitrine. Par la fenêtre, j'aperçois une ferme.

Je m'arme de courage avant de me pencher de nouveau vers lui et je dis tout bas :

– Et si on se donnait rendez-vous quelque part ?

Il me dévisage, surpris.

– Je croyais que les garçons n'étaient pas censés... tu sais... faire des trucs avec des filles.

– On ne fera rien. On passera un moment ensemble, c'est tout.

Il me scrute dans l'obscurité.

– Où est-ce qu'on pourrait se retrouver ?

– Pourquoi pas le Rite Aid, demain à huit heures ?

Il réfléchit. Longuement.

– Ce n'est pas une obligation. Si tu n'as pas envie...

– Si, si. Ça marche.

17

Le lendemain, j'exécute ma routine quotidienne avec application. Je me lève, je m'habille, je me rends à la laverie sous la pluie. Là-bas, je lave des draps pendant trois heures avant d'aller à ma séance de thérapie de groupe où j'invente un bobard au sujet de mes parents pour qu'on me fiche la paix et que j'aie tout le loisir de penser à mon rancard avec Stewart.

Après cela, je rentre dîner au pavillon et je regarde *Access Hollywood* avec mes camarades de chambre. À sept heures et demie, je vais me changer. Margarita bouquine sur son lit. J'examine mon reflet dans le miroir. Du coin de l'œil, j'aperçois Margarita qui me sourit d'un air innocent.

Est-ce mal de voir Stewart? C'est la première fois que je me pose sérieusement la question.

Une fois prête, je dégote un vieux parapluie dans le placard commun. Il est cassé, évidemment, mais il fera l'affaire. Sitôt sortie, je l'ouvre au-dessus de ma tête et puis je reste plantée sur le perron. Un étrange sentiment m'envahit à ce moment-là pendant que je sonde la rue sombre. Ce n'est pas vraiment de la peur. Plutôt une sorte d'effarement devant les mystères du monde et la prise de conscience de notre propre impuissance, à nous, les humains.

Peu importe. Moi, j'ai rendez-vous avec un beau gosse. Je descends les marches d'un pas léger et je m'élance dans la nuit pluvieuse.

Le Rite Aid est lumineux et propre. Je secoue mon parapluie pour l'égoutter et je rentre avec mes Converse trempées. Je fais un premier tour du magasin à toute vitesse mais je suis en avance et Stewart n'est pas encore arrivé. J'essaie de me décontracter en lisant des cartes de vœux.

Il est maintenant huit heures. Je reprends mon tour des allées en regardant les bonbons et les articles de vacances. Les enceintes diffusent un chant de Noël : « Chestnuts roasting on an open fire... »

Où est-il ? je m'interroge. Je ne suis pas en colère pourtant. Avant, ça m'aurait rendue furieuse.

Là, je suis juste hébétée.

Il ne vient pas. Il est huit heures vingt, puis trente, et quarante. Je suis assise par terre dans le rayon des magazines quand le manager me débusque pour m'annoncer que sa boutique ferme à neuf heures. Je le trouve incroyablement gentil, étant donné que je suis assise sur son carrelage depuis une heure à écorner ses revues.

À huit heures cinquante, je choisis du chewing-gum sur le présentoir. Je ne sais pas où est Stewart. Je me dis que ce n'est pas grave. Il a sans doute flippé. Quel garçon ne paniquerait pas face à une gamine de seize ans qui se jette pratiquement à son cou ? Il doit me prendre pour une folle.

Je me résous enfin à marcher jusqu'à la caisse et là, à ma grande surprise, je tombe sur Stewart, ruisselant et le visage cramoisi.

– Salut, dit-il, hors d'haleine. Désolé pour le retard.

– C'est pas grave.

Il patiente pendant que j'achète mon paquet de chewing-gums. Il porte toujours son jean skinny, avec son pull à capuche et son manteau de treillis.

– Je n'ai pas réussi à me libérer plus tôt, explique-t-il. Je suis tombé dans une embuscade : le type qui était avec moi au cinéma, tu te rappelles ?

– Il ne voulait pas que tu viennes ?

– Je ne lui ai rien dit.

Je lui offre un chewing-gum en répondant :

– Les gens ici sont un peu spéciaux. Tu as remarqué ?

– Ouais.

Debout devant la porte du Rite Aid, on mâche notre chewing-gum en fixant l'obscurité troublée par la pluie. On se regarde tous les deux et... c'est tout.

18

On décide de marcher jusqu'à une station-service Exxon sur la nationale 19. Elle est assez loin. Il faut compter une demi-heure de trajet environ.

S'éloigner autant de Spring Meadow n'est clairement pas autorisé par le règlement, mais ni lui ni moi n'évoquons ce léger détail.

On n'a que mon parapluie. Je ne serais pas contre l'idée qu'on se serre dessous tous les deux mais il ne pleut pas très fort alors Stewart se contente de mettre sa capuche.

Les lampadaires sont inexistants ici, à la campagne, et il fait très noir. Nos yeux distinguent juste les limites de la chaussée. En fait, ça me plaît de traverser ainsi les ténèbres brumeuses, écrasée par la hauteur impressionnante des arbres.

Trente minutes plus tard, la station Exxon apparaît, telle une oasis dans l'obscurité. Il y a une supérette Handy Mart à côté – pile ce qu'il nous fallait. J'accompagne Stewart à l'intérieur. On fonce droit sur un distributeur de chocolats chauds. Tandis qu'on fouille nos poches à la recherche de pièces de monnaie, Stewart fait volte-face et tombe par hasard sur un frigo à bières. Un mur entier de bières : des packs de six, tous les formats de bouteilles de 25 à 150 centilitres, plusieurs sortes de canettes, des mini-fûts... On croit déjà humer le parfum amer et sentir les bulles pétiller dans nos os.

L'espace d'un instant, on reste figés sur place. Le gars qui tient la boutique est en train de lire son journal dans sa petite cahute. On pourrait sans souci voler tout ce qu'on veut.

Je vois Stewart se raidir de la tête aux pieds. Et puis il se tourne vers moi. Nos yeux se croisent et je sais qu'on pense tous les deux la même chose : *Oh bordel !*

Stewart se dépêche de prendre deux chocolats chauds pendant que je me dirige vers la caisse pour payer.

Une seconde plus tard, on est sortis.

Comme on n'a nulle part où aller et qu'il n'y a pas le moindre banc, on s'assoit par terre, adossés au mur du Handy Mart, blottis l'un contre l'autre.

Stewart a l'air chamboulé.

– Ça va ?

– Ouais, répond-il.

– On dirait que tu viens de voir un fantôme.

– C'est un peu ça.

Après une gorgée de chocolat chaud, il pose sa tête contre le mur. Histoire de changer le sujet, je lui demande :

– Tu viens d'où ?

– De Centralia.

– Ça ressemble à quoi ?

– Ça pourrait être pire. C'est une petite ville. Et toi ?

– De West Linn. Je vis avec mes parents.

– Et c'est comment ?

– Comme n'importe quel quartier résidentiel : belles maisons, belles voitures, des gamins sous Ritaline.

– Sympa.

Je sirote mon chocolat chaud en zieutant le petit anneau en argent passé à son auriculaire.

– Elle est jolie, ta bague.

Il la regarde, la caresse.

– Elle appartenait à ma grand-mère.

– Ah, je réponds d'un ton détaché.

En réalité, je suis secrètement soulagée.

– Elle est morte. (Il la tient maintenant à quelques centimètres de ses yeux.) Elle s'occupait beaucoup de moi avant. Plus que mes parents.

Il tend sa main vers moi pour me montrer le bijou de plus près. Je saisis ses doigts glacés entre les miens. Je remarque ses articulations noueuses et ses ongles sales.

– C'était elle qui me retenait de partir en vrille, ajoute-t-il en retirant sa main. Après sa mort, j'ai un peu disjoncté.

– Je trouve cette bague magnifique.

Je déguste mon chocolat chaud en silence. Au bout d'un moment, Stewart reprend la parole.

– C'est la première fois que tu viens dans ce genre d'endroit ?

Je comprends qu'il parle de Spring Meadow.

– Oui.

– Qu'est-ce que tu en penses ?

– J'en sais rien. Je passe mon temps à me plaindre.

– Tu y crois, toi, à ce qu'ils racontent ? À la nécessité de changer de vie ? De se faire de nouveaux amis ? De tout recommencer différemment ?

Je joue avec mon gobelet en carton.

– Plus ou moins. De toute façon, je n'avais pas beaucoup d'amis.

– Ouais. Pareil pour moi.

Au-delà de la station, un vent d'hiver paresseux balance mollement les cimes des arbres. On entend un bruissement sourd. Je me serre contre Stewart.

Un pick-up s'arrête à côté d'une pompe. Un homme en ciré jaune descend et se sert de l'essence. Stewart l'observe tandis que moi, j'observe Stewart. Il a un visage fascinant, beau, aux traits juvéniles, presque enfantins, qui reflètent pourtant une certaine autorité naturelle. Dans une autre époque, il aurait pu être un jeune guerrier ou un pauvre prince banni de son royaume. Mais ici et maintenant, il n'est qu'un ado au «comportement à risque» qui ne parvient pas à trouver sa place dans un monde trop conformiste.

C'est l'heure de rentrer. Une fois debout, on se dégourdit un peu les jambes et on se frotte les fesses pour faire tomber la poussière. Puis, tandis qu'on jette nos gobelets vides à la poubelle, on se cogne l'un contre l'autre. Nos épaules se frôlent. On s'attarde, on fait durer le moment.

Je glisse une main vers la poche de son manteau. La sienne se pose sur mon épaule. On fait comme si c'était à cause du froid, comme si on avait seulement besoin de chaleur un instant. On se rapproche lentement et on s'enlace. D'abord, ça ressemble à une accolade entre copains. Ensuite ça évolue vers quelque chose de différent. Chacun explore l'autre à tâtons. Pourrions-nous…? Allons-nous…? La question reste en suspens pendant qu'on se presse l'un contre l'autre. Nos mains se promènent, essaient des trucs. Il n'y a pas d'urgence, aucune raison de se précipiter. On perd la notion du temps.

Et une vague puissante nous emporte. Une vague que rien ne peut arrêter, telle une lame de fond qui nous entraîne vers un territoire inconnu. Son visage cherche le mien. Ses lèvres effleurent mon front, ma joue. Je ressens des picotements dans tout mon corps. Il se penche légèrement, trouve ma bouche, l'embrasse.

Il a un goût de chocolat. Sa bouche est chaude, nacrée et douce. Après le premier baiser, je me laisse aller peu à peu, je me perds dans son visage, son souffle et le contact de sa peau.

Puis on s'écarte, gênés et submergés par l'émotion. On se réfugie sous l'auvent du magasin, moi collée contre lui, blottie entre les pans de son manteau kaki pour me réchauffer.

Plaqués contre la vitrine du Handy Mart, on recommence de plus belle. Ses mains se faufilent sous mon manteau et découvrent les courbes de ma taille. On s'embrasse jusqu'à perdre haleine.

Soudain, il m'entraîne sous la pluie en pouffant. On s'élance sur le ciment bras dessus, bras dessous, au milieu des pompes à essence, en direction de la route déserte. On file à toutes jambes sur l'asphalte humide et, au bout d'un moment, on ralentit dans un grand éclat de rire et on s'arrête enfin pour s'enlacer et échanger d'autres baisers sous le ciel gris et brumeux.

On fait toute la route comme ça, en riant, en sautillant et en se courant après. Plusieurs fois, on a même failli tomber. Ça nous prend une éternité mais le froid ne nous atteint plus. La pluie ne nous dérange pas. C'est comme si on venait d'entrer dans une réalité parallèle où plus rien ne compte, où plus personne n'existe. Nous sommes seuls au monde.

19

À mon retour au pavillon, les lumières sont éteintes. Je monte les marches en silence et j'ouvre la porte. Une seule lampe est allumée dans l'entrée. Toutes les chambres sont plongées dans le noir ; les filles sont couchées et endormies.

Je vais dans la salle de bains pour me débarrasser de mes vêtements mouillés. Je m'essuie avec une serviette puis je me faufile discrètement dans ma chambre où j'enfile des sous-vêtements et un T-shirt secs. Margarita bouge dans son lit. Je me glisse entre mes draps, bien au chaud sous l'édredon.

J'ai besoin d'être seule avec moi-même maintenant. Je sais qu'il m'est arrivé quelque chose cette nuit, et qu'il va me falloir du temps pour réaliser et m'habituer à l'idée.

Ça va être dur pour moi. Je n'ai aucun contrôle sur la situation. Je ne peux pas l'empêcher, ni me protéger des conséquences possibles.

Mais j'en ai envie. Je veux continuer à sentir ce que j'éprouve au fond de moi, pour toujours.

Je me tourne vers le mur. J'entends la respiration des autres filles, le grincement des lits, le bruit de la pluie qui tombe de plus en plus fort sur le carreau de la fenêtre.

Et ce n'est pas tout. Une sensation totalement nouvelle s'empare de moi : j'entrevois une timide lueur d'espoir.

Peut-être que ma vie n'est pas foutue, en fin de compte. Peut-être qu'elle ne fait que commencer.

20

– Alors, il paraît qu'on s'est accordé du bon temps la nuit dernière?

Cynthia me fusille des yeux par-dessus son bureau.

– Quoi? Qui vous a dit ça?

– Figure-toi que nous n'avons pas instauré certaines règles par hasard, Madeline, continue-t-elle d'un ton ferme. Elles sont nécessaires. Pas seulement pour te protéger, toi, mais aussi pour protéger les autres.

Je me mets à bafouiller.

– Comment vous avez...? Qui...?

Elle me coupe la parole.

– Tu es dans la résidence de transition depuis un mois et demi, tandis que ce pauvre garçon vient seulement d'arriver. Il a à peine franchi le cap des vingt-huit premiers jours. Est-ce que tu réalises à quel point il est vulnérable?

Je ne vais pas me laisser faire. Je monte au créneau.

– Vous n'avez pas le droit de nous espionner. C'est illégal!

– Passe encore que tu ne te donnes pas toutes les chances de réussir ta cure. Mais tu mets en danger quelqu'un qui a passé moins de temps ici et qui a moins d'expérience que toi !

– Je n'en crois pas mes oreilles ! D'abord vous m'ordonnez presque de me faire de nouveaux amis. Ensuite vous m'expliquez qui je dois choisir. Et maintenant vous m'interdisez de sortir avec un garçon qui me plaît ? À qui je tiens vraiment ?

– Ah, tu tiens à lui ? Tu en es sûre ? Sais-tu seulement ce que cela signifie ?

– Et vous ? Vous qui êtes assise là, à me juger ? Vous êtes censée nous faire confiance. Je croyais que c'était justement l'objectif de la période de réadaptation : être capable de prendre ses propres décisions. Je suis ici pour arrêter de boire. Pas pour qu'on me dise à qui j'ai le droit de parler...

Bien calée dans son fauteuil, Cynthia me regarde déblatérer et postillonner. À la fin de ma tirade, elle referme son cahier.

– Les règles sont les règles. Au prochain écart de conduite, vous serez tous les deux renvoyés.

– C'est n'importe quoi. Et ce n'est pas juste !

– Au contraire, Maddie, il n'y a pas plus juste. Si tu n'as pas l'intention de t'impliquer dans ton traitement, alors tu ferais mieux de t'en aller et de laisser la place à quelqu'un de sérieux. Des gens meurent faute de pouvoir entrer ici.

– Personne ne *meurt*.

– Ah bon ? D'où tiens-tu ça, hein, toi qui crois tout savoir ? Tu ne te rends pas compte de la chance que tu as, Madeline. Et je te souhaite sincèrement de vivre assez longtemps pour redescendre sur terre !

21

Mardi, je vais à la soirée cinéma. Je retrouve Stewart qui s'assoit à côté de moi sur le siège arrière. Il ne dit rien. Je finis par lui demander :

– Tu t'es fait engueuler ?

– Un peu.

– Je suis désolée.

– C'est pas ta faute.

On échange un sourire. Je glisse ma main sur la banquette pour prendre la sienne.

Au Carlton, je nous achète deux cornets de pop-corn et on s'installe dans la salle avec nos camarades de désintox. Il ne se passe rien de spécial. On suit le film, contents d'être près l'un de l'autre. Ça nous suffit. Nos avant-bras se frôlent et on se tient discrètement la main.

Mais sur le trajet du retour, j'ai tellement envie de le serrer contre moi que ça en devient insupportable. Encore pire que le sevrage d'alcool. Il m'attire comme jamais aucun garçon ne m'a attirée avant.

Je ferme les yeux en priant pour que le désir s'en aille. Ça marche un peu. Moyen.

Deux jours plus tard, Stewart se pointe à la laverie pendant la pause déjeuner. Il toque doucement à la porte de derrière. Quand je constate que c'est lui, je perds un peu les pédales. J'ouvre d'un geste brusque et je l'entraîne à l'intérieur.

Il a enfilé la salopette de l'équipe d'entretien et vissé une casquette de base-ball sur sa tête. Il garde les yeux baissés, fait son timide.

– Je ne suis pas censé venir ici.

Je prends une attitude de défi.

– Et pourquoi pas ? Tu peux venir aussi souvent que tu veux !

Je me jette à son cou – tant pis pour la lumière du jour et pour Rami, mon patron, qui se trouve dans la pièce à côté.

Stewart rougit, recule d'un pas et regarde autour de lui.

– Alors c'est ici que tu travailles ?

Je hoche la tête.

– Elles sont énormes, ces machines à laver.

– Tu verrais la quantité de trucs à nettoyer...

Il ôte sa casquette et fixe le sol.

– Écoute, je voulais juste m'excuser encore de t'avoir causé des ennuis.

Je le dévisage.

– Non, c'est moi qui suis responsable. Je suis désolée. Sincèrement.

J'embrasse le dos de sa main. Il la retire aussitôt.

– Non, je m'en veux. Je suis plus vieux et c'est moi le garçon. J'aurais dû être plus raisonnable.

Je proteste en murmurant :

– N'importe quoi! Cette règle est débile, de toute façon. Qu'est-ce qu'ils nous veulent?

– Je sais. Mais ils doivent avoir leurs raisons.

– Je m'en fous, de leurs raisons. Ils ne peuvent pas nous empêcher d'être ensemble!

Il ne répond pas, fuit mon regard.

– Tu n'as pas envie qu'on soit ensemble?

– Si, mais je tiens pas à me faire renvoyer.

Je suis au bord de l'explosion. Je me retiens de partir dans une grande diatribe contre Spring Meadow et son règlement à la noix. J'ai peur d'effrayer Stewart. Alors je m'efforce de me calmer à la place. J'inspire profondément

– D'accord. Tu as sans doute raison. Peut-être que je suis... égoïste. Il faut juste que j'accepte l'idée que même si on a envie de passer du temps ensemble, c'est pas possible pour le moment.

– Ça ne durera pas éternellement. Tu sors quand?

– Dans deux semaines.

– Moi, il me restera encore un mois après. Voilà, on doit attendre un peu. Se montrer patients, c'est tout.

J'acquiesce d'un signe de tête, bien que je sois hyper énervée.

– Et il y a toujours les soirées cinéma, ajoute-t-il.

On entend du bruit dans la pièce d'à côté. Mon boss va bientôt rappliquer. Stewart remet sa casquette en vitesse et je l'accompagne jusqu'à la porte du fond. J'ai envie de l'embrasser mais il y a urgence. Il s'esquive pile à temps pour éviter Rami.

22

Stewart et moi, on arrive au cinéma avec la même idée en tête le mardi suivant. On achète nos places, on tournicote dans le hall, on prend du pop-corn, on traînasse du côté des portes pendant que les autres s'installent... et on se fait la malle.

Une fois dehors, j'ai envie de lui sauter dessus et de l'embrasser. Mais j'arrive à me contenir.

On traverse tout Carlton à pied pour aller au Denny's. Là-bas, on s'assoit au bar et on commande des chocolats chauds. On décide que ce sera notre boisson. En réalité, c'est ma décision mais il ne s'y oppose pas.

Ensuite, on déniche un recoin sombre sur le parking pour échanger des caresses et des baisers. On s'en donne à cœur joie. Puis on reprend le chemin du ciné. Je suis tout étourdie et je vois des étoiles. Je m'agrippe au coude de Stewart au cas où mes genoux en coton flancheraient.

Après être remontés dans le van, on fonce droit sur la banquette arrière. Le désir a reflué. Je suis plus tranquille maintenant. Assise près de lui, je me contente de passer mon bras sous le sien. Quand personne ne regarde dans notre direction, je me penche et je pose la tête sur son épaule. Alors je ferme les paupières et j'essaie d'arrêter le cours du temps. Je voudrais que chaque seconde dure une éternité.

Cette nuit-là, dans mon lit, je sens encore son odeur sur mon pull. Je l'enlève et je l'étale soigneusement sur mon oreiller pour humer le moindre petit carré – ainsi j'ai l'illusion de pouvoir le garder auprès de moi un peu plus longtemps.

23

Pour mon dernier mardi à Spring Meadow, Stewart m'accompagne à la soirée ciné et on récidive. Après s'être échappés par le fond de la salle, on retourne au Denny's. Mais l'ambiance n'est plus la même. Les vertiges et l'excitation ne sont pas au rendez-vous. C'est fini. Nous passons notre dernière soirée ensemble – en tout cas ici, à Carlton.

On bavarde à bâtons rompus en sirotant nos chocolats chauds. La conversation est aussi décousue que superficielle. Stewart me confie ses aventures. Il me parle de l'époque où il voulait prendre des cours de mécanique pour travailler dans les motos. Sa grand-mère n'arrêtait pas de lui donner de l'argent et, malgré sa bonne volonté, il finissait toujours par acheter de la drogue. Dingue, non ? C'était tellement couru d'avance qu'on est obligés d'en rire.

Moi, je lui raconte la fois où, avec des potes, on s'est incrustés à un bal de promo tellement défoncés à l'Oxy-Contin qu'on tenait à peine debout. Les surveillants nous sont tombés dessus. Ils pensaient qu'on était bourrés. Alors on leur a dit que notre copine n'arrivait pas à marcher droit parce qu'elle avait une jambe plus courte que l'autre. Et ils nous ont crus en plus !

Stewart pouffe avant de prendre une gorgée de chocolat.

– Tu iras sans doute à la fac, dit-il.

– Moi ? Ça risque pas. Il faudrait déjà que je passe mon bac, ce qui est loin d'être gagné.

– Mais si, tu verras.

– Et toi ? Tu pourrais y aller aussi, maintenant que tu es clean.

– J'en doute.

– Pourquoi pas ? Tu es intelligent. Il suffirait que tu suives des cours pendant un an et que tu décroches une équivalence.

– Ouais, peut-être.

On laisse cette question épineuse de côté pour embrayer sur un sujet moins délicat, à mon grand soulagement. Mais plus tard, tandis que Stewart est aux toilettes, je repense à notre discussion. Je regarde les gens dehors et je ne peux pas m'empêcher de me dire : *Il pourrait carrément aller à la fac. Il aura juste besoin d'aide.*

Dans le van, je suggère un rancard ailleurs au milieu de la nuit. Il ne reste plus que deux jours avant mon départ, alors j'aurais aimé que l'un de nous aille retrouver l'autre près de son pavillon en catimini.

Il fait non de la tête.

Il a raison, bien sûr. Je culpabilise d'avoir eu cette idée. Je me penche à son oreille en murmurant :

– OK. Dans ce cas je ferai comme ces filles dont le mec est en taule. Je t'attendrai dehors. En rêvant de toi toutes les nuits.

Un sourire aux lèvres, il lève les yeux au ciel puis il m'embrasse sur la tempe.

24

La veille de mon départ, Stewart déboule à la laverie. Il toque à la porte de derrière. Lorsque je le fais entrer, je suis tellement émue que j'ai du mal à respirer. Je n'ai pas cessé de penser à lui ces derniers jours, il était dans mon esprit à chaque instant.

Mais il se comporte de façon bizarre, distante. Debout à côté de la porte, il a l'air mal à l'aise. Moi, j'ai envie qu'il me regarde, qu'il me prenne dans ses bras. Je ne le reverrai pas avant cinq longues semaines !

– Tu es contente de partir ? finit-il par me demander.

– Pas franchement.

Je sens une vague de panique monter en moi.

– Pourquoi ?

– Pourquoi, à ton avis ?

– À cause de moi ?

Les larmes aux yeux, je m'écrie :

– Évidemment, à cause de toi ! Je ne vais pas te voir pendant plus d'un mois ! Qu'est-ce que je vais faire le mardi soir ? Avec qui je vais boire du chocolat chaud ?

Il semble gêné.

– Et toi ? Tu es content que je m'en aille ?

– Non. N'importe quoi ! Je suis juste heureux pour toi.

On reste plantés là tous les deux, les yeux rivés au sol. Une machine à laver commence un cycle d'essorage. Elle se met à vibrer.

– Tu vas rester clean ? me demande Stewart sur un ton prudent.

– Oui. J'y compte bien. Toi aussi ?

– Ouais.

– Tu m'appelleras ?

– Bien sûr.

– Tu as intérêt !

– Mais oui. Promis.

Je n'en peux plus. Je saute dans ses bras. Un sanglot jaillit de ma poitrine. Stewart me berce contre lui.

– Tout ira bien, murmure-t-il.

– J'ai peur. J'ai peur que ce ne soit plus pareil entre nous une fois dehors. Que tout s'écroule.

Il me caresse les cheveux.

– Ce sera différent, c'est sûr. Mais ça va marcher.

Je m'agrippe à lui.

– Je ne sais pas comment je vais tenir le coup. Je n'ai encore jamais perdu quelqu'un.

– Tu n'es en train de perdre personne, affirme-t-il. D'ailleurs, je veux te donner un truc.

Il me relâche et retire la bague de sa grand-mère de son petit doigt. J'essuie mes larmes.

– Tu ne peux pas me la donner.

– Je te la prête, c'est tout. Tu la garderas pour moi.

– Je... je ne peux pas...

– Essaie-la pour vérifier si elle te va.

Je la prends et je l'examine avant de la passer à mon annulaire. Elle est pile à la bonne taille.

– Et si je la paume ?

– Ne la paume pas.

– Je paume sans arrêt des affaires.

Il tient mon poing fermé entre les siens.

– Tu me la rendras quand j'aurai fini ma cure. D'ici là, ma bague fétiche te protégera.

– Mais je...

Des pas résonnent dans l'autre pièce. Rami est revenu de son déjeuner.

– Je ferais mieux de partir, chuchote Stewart.

Pendue à son cou, je m'accroche à lui de toutes mes forces. Il me serre tendrement lui aussi, jusqu'à ce que cet imbécile de Rami commence à siffler à côté – signe qu'il ne va pas tarder à rappliquer. Alors Stewart s'écarte et file sans un bruit.

Tandis que je reste clouée sur place à fixer la porte close, Rami entre. Il regarde où en sont les sèche-linge en sifflotant.

Les yeux baissés sur l'anneau, je le fais tourner autour de mon doigt.

Deuxième partie

1

Ma mère patiente dans l'embouteillage du matin devant mon lycée. Je suis assise à côté d'elle avec mon sac de cours sur les genoux. Je contemple l'herbe verte, l'escalier en pierre, la porte d'entrée. Je n'en crois pas mes yeux. Je suis de retour au lycée Evergreen.

– Tu n'as rien oublié ? me demande maman.

– Je ne pense pas.

Je sors de la voiture, mon sac en bandoulière. J'ai opté pour la tenue de janvier la plus neutre et ennuyeuse possible : doudoune, Levi's et Converse noires. J'ai attaché mes cheveux sur la nuque. Je n'ai pas mis de maquillage. Pas de gloss. Rien.

Je traverse la pelouse en traînant les pieds, tête basse. Mon sac est plein à craquer de manuels scolaires. Je le remonte sur mon épaule. J'ai une tonne de travail à rattraper dans toutes les matières. Les profs ont intérêt à m'aider. Mais je sais qu'ils seront de mon côté. Il y a un consensus. Tous les adultes ont officiellement accepté d'accorder à Madeline Graham une seconde chance.

J'atteins le bâtiment principal. Je ne peux pas m'empêcher de guetter l'attitude des gens autour de moi. Est-ce qu'on me regarde ? Est-ce qu'on parle de moi ? Y a-t-il des élèves qui se figent sur mon passage ?

Non. Pas vraiment.

En revanche, dans la salle de classe, c'est différent. À l'instant où je franchis le seuil, je sens tous les yeux se braquer sur moi. Je me faufile au milieu de mes camarades qui me dévisagent pour m'installer à ma place habituelle, au dernier rang. Et puis je me ravise en me rappelant mes nouvelles instructions : je ne dois jamais m'asseoir au fond d'une salle. Ça fait trop asocial ; je suis censée participer. Alors je rebrousse chemin jusqu'au centre de la pièce. Le problème, c'est que là, je me sens claustro. Du coup, je choisis une table au bout de la rangée, près d'une fenêtre, à côté d'un garçon que je ne connais pas. Il a l'air du genre à ne pas beaucoup lever le nez. Comme ça, on sera deux.

Je plonge la main au fond de mon sac pour prendre le nouvel agenda que maman m'a acheté. Elle a laissé une note dessus :

> Ma chère Maddie,
> Nouvelle année, nouveau départ.
> Je t'aime, Maman.

J'encadre la note au crayon. Je commence à tracer des carrés à côté pendant que les autres rentrent. Je me fais toute petite.

Soudain, une grosse voix s'élève derrière moi :

– Maddie Graham ?! C'est toi ?!

Tara Peterson, une des filles les plus graves de l'école, se plante à côté de ma chaise.

– Oui, c'est moi.

– Tu as été malade? beugle-t-elle. Tu étais passée où?

Je lui adresse un regard suppliant et un petit sourire qui veut dire : «Pitié, ne me fais pas ce coup-là.»

Mais les gens comme Tara ne comprennent pas les allusions subtiles.

– Tu as eu la mono? insiste-t-elle.

– Non.

– Alors t'étais où?

– J'étais...

Les autres me scrutent maintenant. Ils attendent ma réponse. Même le garçon discret à côté de moi s'est tourné pour écouter la conversation.

– J'ai eu un problème personnel.

– Oh mon Dieu! s'égosille-t-elle. Quelqu'un est mort?

– Non, personne n'est mort.

– Quand même, il a dû se passer un truc horrible. On ne t'a pas vue pendant des mois!

– Bien! Regagnez tous vos places, lance Mme Wagner, notre prof.

Sauvée par le gong.

2

Le déjeuner s'annonce compliqué, mais j'ai un plan. Je grignote un peu à chaque interclasse, en cachette. J'ai planqué mes casse-croûte dans mon casier. J'avale quelques mini-carottes, la moitié d'un sandwich, un peu de céleri avec du beurre de cacahuète et, pendant la pause de midi, je vais à la bibliothèque. Je trouve la grille de mots croisés dans le journal du jour, je l'emporte à la table du fond, je l'étale à côté de mon livre d'histoire et je fais semblant d'avancer sur mes devoirs.

C'est une manière agréable de passer quarante minutes.

Malheureusement, la situation se corse juste après, quand Emily Brantley me repère dans le passage couvert entre les bâtiments.

– Hé! Sortie de désintox? hurle-t-elle.

Je feins de ne pas savoir à qui elle s'adresse et j'accélère le pas.

Mais elle me court après.

– Ne fais pas la sourde oreille!

Je continue mon chemin. Emily est une fille populaire au lycée. On n'a jamais été copines, même si on a traîné avec les mêmes personnes. On nous considère plutôt comme des rivales.

— Hé ! s'écrie-t-elle en me rattrapant. Alors, c'était comment ?

— De quoi tu parles ?

— Ben, tu sais, la cure.

— Qu'est-ce que ça peut te faire ?

— Je suis juste curieuse. Pas la peine de t'énerver.

— Pas la peine de crier sur les toits que je sors de désintox !

— Tout le monde s'en fout. Et puis tu crois peut-être que c'est un secret ?

Je marche vite mais elle reste accrochée à mes basques.

— Alors tu vas y arriver, à ton avis ? me demande-t-elle.

— À quoi ?

— À rester dans le droit chemin ?

— Je ne sais pas. On verra bien.

— Bonne chance, en tout cas. Ce ne sera pas facile. Surtout ici.

Je la regarde. Elle a l'air sincère, ce qui me surprend.

— Par contre, si tu décides de te remettre à picoler, tu sais où te procurer ce qu'il faut, ajoute-t-elle en tapotant la poche de son manteau.

— Merci beaucoup.

Elle éclate de rire.

— Mais non ! Je plaisante ! Sérieux, je te souhaite bonne chance. Je le pense. Je finirai sans doute là-bas moi aussi, un de ces quatre !

Pourtant, question sociabilité, Emily ne représente pas mon plus gros défi.

Non, ceux qui vont vraiment mettre ma détermination à l'épreuve, ce sont mes trois meilleurs amis : Jake, Raj et Alex.

Juste avant la sixième heure de cours, j'aperçois Jake qui m'attend à côté de mon casier. Je prends une grande inspiration.

– Hé, t'es de retour, me dit-il de sa voix détachée, tellement craquante.

– Ouais.

– C'était comment ?

– Moisi.

– Oui, je m'en doutais.

Je me sens très nerveuse. Mes mains tremblent, ma gorge se noue.

Jake ne remarque rien. Il est totalement décontracté, comme d'habitude. Il s'appuie contre un casier.

– Donne-moi des détails.

– Il n'y a pas grand-chose à raconter. Tu reçois des tas d'ordres, tu les exécutes, voilà.

– Ah ? s'exclame-t-il en promenant son regard vide dans le hall. Et sinon... c'est fini pour toi maintenant, tout ça ? Pour de bon ?

– Je n'aurai pas besoin d'y retourner, si c'est ce que tu veux dire.

– Hmm... Alors tu peux venir te défoncer avec nous après les cours ?

– Ben non.

– T'es sérieuse ? Tu vas vraiment décrocher ?

Je pousse un soupir.

– Oui. Je crois. Pour le moment.

Jake hoche la tête.

– Dommage. Raj vient d'acheter de la colombienne. Elle déchire. Il était trop content à l'idée de te faire fumer. Il voyait ça comme un cadeau de retrouvailles, en quelque sorte.

Pendant qu'il prononce ces mots, il se penche un peu vers moi en prenant un air sexy. Il me fait son petit numéro. Jake dans toute sa splendeur !

– Il vaut mieux que je passe mon tour. Désolée.

Il hausse les épaules.

– Alors tu vas t'occuper à quoi si tu ne peux pas sortir ?

– Je ne sais pas. Je vais me terrer dans un trou, j'imagine.

– Ça craint.

– À qui le dis-tu...

– Hmm.

À cet instant, Marisa Petrovich passe à côté de nous. Elle porte une jupe très courte.

– Salut Marisa, lance-t-il.

– Salut *Jake*, ronronne-t-elle.

– Bon, OK, Maddie. On se revoit plus tard ?

– Oui. Tu remercieras Raj d'avoir pensé à moi.

– Pas de problème.

Jake est maintenant en train de lorgner le décolleté plongeant d'une petite allumeuse de seconde qui montre ses seins à tout le monde – au sens propre. Il manque de trébucher en les suivant des yeux.

Ah ! le lycée... Ça me manquait.

3

Toute la première semaine se déroule ainsi. On vient me voir. On me pose des questions polies, avant de me fuir comme la peste. C'est la torture.

Stewart m'appelle de Spring Meadow, malheureusement il ne peut rester au téléphone que pendant une dizaine de minutes. On a du mal à se faire la conversation. C'est quand même sympa. Et aussi frustrant, d'une certaine manière.

Le vendredi soir, ma mère me conduit à la réunion d'un groupe d'entraide dirigé par le docteur Bernstein sur les «ados à risque». On est huit environ, à se promener dans la pièce en discutant de nos «problèmes». Il y a surtout des filles riches de mon quartier. Ce n'est pas qu'elles n'ont pas de vrais problèmes, mais la façon dont elles en parlent est tellement ennuyeuse. Elles n'utilisent que du jargon de psy – «mes désirs», «mes besoins», moi, moi, moi...

Au moins les gens en désintox étaient marrants. Vern avait toujours de bonnes blagues salaces à raconter.

À la moitié de la séance, je n'en peux plus et je sors m'asseoir dehors dans le froid, sur les marches en ciment.

L'assistante sociale me rejoint pour tenter de me convaincre de rentrer. Je lui réponds d'un air désolé :

– Non, ça va. Vraiment. C'est juste que j'ai beaucoup de choses à gérer en ce moment...

Alors elle retourne à l'intérieur tandis que je pose mon menton sur mes genoux en priant Dieu de m'achever tout de suite, par pitié. Parce que je ne tiendrai pas le coup. Je ne supporterai pas cette existence-là. Rien que l'école, ça me paraît insurmontable. J'ai l'équivalent d'un semestre de devoirs à rattraper. Je n'ai pas d'amis. Rien à faire, nulle part où aller, personne à qui me confier.

Pas étonnant que Vern se soûle tous les ans.

4

Une autre semaine passe. Puis un soir, au dîner, mon père me tend une boîte enveloppée dans du papier cadeau. J'ouvre l'emballage et je découvre un nouveau téléphone. Je trouve que mes parents prennent des risques, car je suis connue pour perdre mes portables. Ou pour les lâcher dans les toilettes. Parfois même pour les balancer à la figure des policiers.

Papa et maman en font des tonnes ; ils tiennent à me féliciter pour ma réussite. Mon père prétend que je me débrouille très bien, que tout le monde est fier de moi. Il dit qu'il a l'impression de retrouver sa bonne vieille Maddie.

Je me demande bien ce que cela signifie, étant donné que je me traîne dans un brouillard suicidaire à longueur de journée. Mais je les remercie poliment et, dès que l'occasion se présente, je fuis par l'escalier pour me réfugier dans ma chambre. Je ne sais pas qui appeler. Je n'ai pas le droit de joindre Stewart après six heures au pavillon de réadaptation. Je ne peux téléphoner ni à Jake ni à Raj. Bref, je sèche.

Et puis j'ai une illumination.

Je fouille mon bureau à la recherche d'un certain bout de

papier. Le numéro de Trish. Je ne l'ai pas contactée depuis qu'elle a quitté Spring Meadow. Il faut croire que je n'étais pas assez désespérée jusqu'à présent. Maintenant, si.

J'enregistre son numéro et je le compose.

Ça sonne. J'attends, la boule au ventre.

– Allô? dit une voix endormie.

– Allô? Trish?

– C'est qui?

– Maddie.

– Maddie? (Elle semble se réveiller d'un coup.) Maddie de Spring Meadow?

– Oui! Trish! C'est moi!

– Oh la vache. C'est toi? Tu es où?!

– Chez moi!

– Non?! Tu es sortie quand? me demande-t-elle, tout excitée. Tu fais quoi?

– Je vis avec mes parents. J'ai repris le lycée!

– Tu vas au lycée? C'est trop bizarre! Tu le vis comment? Ça craint?

– Tu plaisantes? Ça craint à mort!

– Oh là là! Tu es retournée au lycée! Le délire!

– Ouais, la bonne blague!

– Je suis trop contente que tu m'appelles!

– Moi aussi!

– C'est génial d'entendre ta voix!

– Et toi, qu'est-ce que tu fais depuis que tu es sortie?

– Je postule pour des jobs. Ma mère me force. J'ai déposé un CV pour être comptable dans une entreprise de plomberie. Tu imagines? Moi? Travaillant dans une entreprise de plomberie?!

– C'est excellent !

– C'est n'importe quoi, tu veux dire !

– Il faut qu'on sorte.

– Carrément.

– Oh, j'ai hâte qu'on se retrouve !

– Tu as prévu un truc demain ?

– Oui : je viens te voir !!!

Le lendemain, je prends le métro Express pour aller en ville, et je me rends au Metro Café, un bar branché du centre.

En entrant, j'aperçois Trish assise toute seule dans un coin. On se fait coucou et je me dépêche de la rejoindre en me frayant un chemin entre les tables. On se saute au cou et on se tient par les mains comme deux neuneus pendant un moment. Ensuite on commande chacune un café *latte* et on s'installe tranquillement.

Elle a changé. Ça me frappe d'emblée. Elle a pris du poids et elle se maquille différemment. Sa nouvelle coupe de cheveux, qui a dû lui coûter une fortune, me fait un drôle d'effet. J'ai l'impression qu'elle cherche à se donner l'allure d'une banquière de cinquante ans. Et puis elle semble un peu endormie. Ou bouffie. Elle a pris des médocs, c'est évident. Et à des doses plutôt élevées à en juger par sa tête.

Mais tout ça ne compte pas. Sitôt qu'on commence à bavarder, c'est comme si on était de retour en cure. Comme au bon vieux temps. Elle a le béguin pour un million de garçons différents. Un ancien camarade de lycée qui lui plaisait l'a appelée la semaine précédente. Elle est allée à une réunion des Alcooliques anonymes où elle a rencontré plusieurs skaters mignons. Elle flirte aussi avec un caissier de l'épicerie à côté de chez sa mère.

Moi, je parle du lycée. Je lui raconte comment je me nourris de mini-carottes à longueur de journée pour pouvoir passer ma pause déjeuner à la bibliothèque à remplir des grilles de mots croisés.

– Oh, on est graves toutes les deux !!! s'esclaffe Trish. Tu crois qu'il y a pire que nous ?

Après le café, on se promène dans le centre-ville. Cela fait des semaines que je ne m'étais pas autant amusée. On rit pour rien. On plaisante à propos des petits boulots et du lycée. On marche bras dessus, bras dessous, en interpellant des garçons au hasard.

Un détail seulement me gêne un peu : je n'arrive pas à lui parler de Stewart. J'ignore pour quelle raison. À deux reprises je suis sur le point de me confier à elle à son sujet et puis je me ravise.

Sans que je sache pourquoi, j'ai besoin de garder le secret.

5

Le retour de Trish dans mon existence rend mon quotidien plus supportable. Tout devient plus facile : aller en cours, vivre avec mes parents, et même parler à Stewart, puisqu'elle fournit un sujet de discussion qui nous occupe pendant nos dix minutes de communication réglementaires.

Le coup de fil se passe tellement bien qu'il me rappelle le lendemain. Je suis dans la cuisine avec ma mère lorsque je décroche. Elle devient aussitôt bizarre et soupçonneuse, ce qui m'étonne vu le nombre d'inconnus qui m'ont téléphoné ces dernières années. Elle veut savoir de qui il s'agit et je lui explique que c'est un ami rencontré à Spring Meadow. Je lui rappelle qu'on est censés rester en contact les uns avec les autres. Elle n'a pas encore complètement intégré la philosophie de la cure mais elle me croit sur parole. Plus ou moins.

Il téléphone de nouveau deux jours plus tard avec un portable emprunté à quelqu'un. Nous sommes samedi, en début d'après-midi, et je suis seule à la maison. Vêtue juste d'un grand pull, je déambule en bavardant avec lui pendant deux heures. Cette fois, on a une vraie conversation. On fait des projets. À sa sortie, il ira vivre chez sa mère à Centralia, à environ quatre-vingts kilomètres de Portland. Je pourrai lui rendre visite, et lui viendra me voir en ville.

Il me donne les potins de Spring Meadow : je sais qui est allé à la soirée ciné, ce qui s'est passé dans son pavillon. J'apprends qu'il a joué aux cartes avec Rami l'autre jour, et qu'il l'a trouvé assez sympa, en fin de compte. Apparemment Rami était au courant pour nos tête-à-tête à la laverie mais il n'a rien répété à personne.

Les larmes me montent aux yeux tandis que je l'écoute parler de Spring Meadow. Est-ce la nostalgie ou le simple fait d'avoir un long échange agréable avec Stewart ? Après avoir raccroché, je reste allongée un moment sur mon lit. Je sais à l'avance que ce sera bizarre de se revoir dehors. Évidemment. En plus il est tellement beau et attendrissant que toutes les filles qui croiseront sa route tomberont folles amoureuses de lui.

En tout cas, quoi qu'il advienne, ce sera compliqué. Mais tant pis, je décide de ne pas lutter contre mes sentiments. Au contraire, je m'y abandonne de tout mon cœur. Je m'accorde cette faveur. Je me dis que je l'ai bien mérité.

6

– Alors c'est là qu'étaient cachés les mots croisés !

J'ouvre les yeux. Je me suis assoupie sur le canapé au fond de la bibliothèque, mon livre de cours sur les genoux et la grille de mots croisés inachevée glissée à l'intérieur.

Un inconnu me l'arrache pour l'emporter jusqu'à sa table.

– Et c'est toi qui marques n'importe quoi dans les cases.

– Pas du tout ! je proteste.

Je me redresse en battant des cils, mal réveillée.

– On n'est pas censés roupiller à la bibliothèque, dit-il.

– Je ne dors pas. Je me repose.

– Tu pourrais photocopier les grilles, surtout si c'est pour les rater dans les grandes largeurs.

Je dévisage ce garçon parfaitement odieux.

– T'es qui ?

– Martin Farris. Tu devrais le savoir. On bosse sur le *yearbook* ensemble.

– Ah, oui. Le *yearbook*.

Mettre en page les faits marquants de l'année scolaire est l'activité extrascolaire la plus facile et la plus bête à laquelle on puisse s'inscrire. Là-bas aussi, j'ai tendance à somnoler.

Martin relit les définitions des mots croisés et mes solutions.

– Tu ne connais pas Jimi Hendrix ? s'exclame-t-il. Celui qui a chanté *House Burning Down* ? Ou *Purple Haze* ?

– Je n'écoute pas de vieux rock.

– Quand même, tu devrais savoir ça. Jimi Hendrix était de Seattle.

– Et alors ?

– C'est important de connaître la musique de ta région. Par exemple, si tu vivais à Liverpool, tu aurais sûrement entendu parler d'un petit groupe appelé les Beatles, non ?

– Tu plaisantes, là ?

Il retourne à ses mots croisés.

– Et la capitale de la Turquie, c'est Ankara. Pas *Ankala* ou je ne sais pas quoi.

Je le fusille des yeux.

– Regarde-toi. T'es qu'un gros blaireau.

– Je ne suis pas un *blaireau*, je suis un *geek*, réplique Martin sans hésiter. Les blaireaux sont maladroits, c'est pathologique chez eux. Tandis que les geeks ont développé une connaissance approfondie de systèmes complexes.

– Ouaouh.

– Alors tu viens de quel lycée ? me demande-t-il en continuant de corriger mes erreurs dans les mots croisés.

– Je ne suis pas nouvelle.

– Tu n'étais pas là au semestre dernier.

– Si.

– Non. Je bosse sur l'annuaire du *yearbook*. Je sais qui était là au début de l'année, figure-toi.

– J'ai fait un break.

– Pourquoi?

– Raisons personnelles.

– Quel genre de raisons personnelles?

– C'est pas tes oignons.

Il fait mine de réfléchir :

– Hmm... Voyons voir... raisons personnelles. Ça peut être un pépin de santé. Ou un souci d'ordre psychologique. Peut-être que tu es tombée enceinte de Satan et que tu as dû accoucher de ton bébé démon dans un endroit secret...

– Très drôle.

Je rassemble mes affaires. La sonnerie ne va pas tarder à retentir.

– Vingt-deux vertical... marmonne Martin. «Dirige le jeu» en six lettres. Meneur! s'écrie-t-il en remplissant les cases.

Je me lève et je ramasse mon sac à dos.

– Merci beaucoup, pauvre type.

– Pas de problème, dit-il sans lever le nez. On se retrouve au *yearbook*.

7

J'appelle Cynthia quelques jours plus tard. On a des rendez-vous téléphoniques dans le cadre du suivi. Elle est impressionnée que je sois encore en vie.

Je la rancarde : je dors mieux, je ne suis pas vraiment en manque et je participe aux séances du groupe de soutien du docteur Bernstein, bien que je déteste ça. Je retourne au lycée. Quand je rentre de cours, je regarde la télé. Je sors avec Trish le week-end (cette nouvelle amuse beaucoup Cynthia). Elle a l'air satisfaite de mes progrès mais elle insiste pour que j'aille en plus aux Alcooliques anonymes.

Alors, le lendemain, je téléphone à Trish et on décide de s'aventurer ensemble à une réunion des AA pour les « jeunes ».

Sa mère nous y conduit dans son Cadillac Escalade. L'assemblée a lieu dans le sous-sol d'une vieille église en pierre. Tout le monde n'est pas à proprement parler « jeune » là-dedans, mais il y a quand même une majorité d'ados. Ils forment un public turbulent. J'aperçois plein de tatouages, de coiffures excentriques et de piercings.

Trish nous trouve des chaises le long du mur. Elle aime venir ici à cause des garçons. Les deux qui sont assis devant nous n'arrêtent pas de faire rouler leurs skate-boards sous leurs chaises, dans un sens, puis dans l'autre. Moi, je leur trouve des têtes de criminels endurcis, mais Trish en a l'eau à la bouche. Elle a opté pour un look sexy ce soir. Elle a enfilé un jean moulant, appliqué son fond de teint à la truelle et a souligné ses yeux de khôl noir épais qui fait ressortir ses traits bouffis.

Franchement, elle a une sale mine. Moi aussi, mais la différence, c'est que je suis assez lucide pour porter des vêtements amples et éviter d'attirer l'attention.

On reste tranquilles pendant le début du rituel des Alcooliques anonymes. Je m'en souviens, c'était pareil en cure. Ça devient vite ennuyeux et bientôt, Trish ne tient plus en place. Si bien qu'à la moitié de la séance environ, on sort sur la pointe des pieds pour qu'elle puisse fumer une cigarette.

Debout dans le froid sous les réverbères du parking, Trish souffle de minces filets de fumée dans le ciel.

– Si je me fais pas un mec rapidement, je vais devenir folle, me confie-t-elle.

Je hoche la tête.

– Ça t'arrive de ressentir la même chose, ou c'est moi qui suis dingue ? me demande-t-elle.

– Non, je connais.

– Ah bon ? Pourtant tu n'es attirée par personne.

– Si.

– Qui, par exemple ? Cite un nom.

– Ben... un garçon.

– Comment il s'appelle ? Tu m'en as déjà parlé ?

– Euh, non.

– Tu es sérieuse? s'exclame-t-elle entre deux bouffées. Tu l'as rencontré où?

– Ça fait un moment déjà.

– Mais où?

Je réponds d'un ton coupable :

– À Spring Meadow.

– Spring Meadow?

– Oui, après ton départ.

Elle me jette un regard noir.

– Tu as rencontré quelqu'un à Spring Meadow?

– Pendant mes dernières semaines au pavillon de réadaptation.

– Et il te plaît? Pour de vrai?

Je confirme d'un signe de tête.

– Pourquoi tu ne m'as rien dit?

Je hausse les épaules.

– Je ne sais pas. Sans raison particulière.

– Tu voulais me le cacher?

– Non. Je voulais juste, tu vois, rester discrète.

– Discrète? Par rapport à quoi? Vous l'avez fait tous les deux?

– Non. Enfin... pas jusqu'au bout, quoi.

– Tu es sortie avec un garçon à Spring Meadow? s'écrie Trish. Oh la vache, Madeline! Vous êtes toujours en contact?

– Oui.

– Et tu comptais me l'annoncer quand?

– J'en sais rien.

– Je ne sais plus quoi penser. (Elle s'écarte de moi, l'air énervée.) Tu as un copain et tu ne me dis rien? Pendant que moi, je te raconte mes histoires en long, en large et en travers, tu gardes tes petits secrets romantiques rien que pour toi? Je passe vraiment pour une débile!

– Ce n'est pas ça.

– C'est quoi, alors? Comment t'as pu me cacher ça?

– Écoute... je crois que je suis amoureuse.

– Et je ne sais pas ce que c'est qu'aimer, peut-être?

– Ben... disons que tu parais surtout intéressée par le sexe.

– Pas toi?

Je contemple le ciel en silence tandis que Trish écrase son mégot sur le bitume sale.

– Je n'en reviens pas! Tu me fais des cachotteries depuis le début. Tu voulais préserver ton amour pur, hein? Tu avais peur que je le salisse? Tu te crois meilleure que moi?

– Non.

– Si. C'est clair.

– Allez, Trish...

– Tu étais censée être mon amie.

– Je suis ton amie, Trish.

8

– Tu ferais mieux de te réveiller, murmure une voix.

Quelqu'un me tapote l'épaule et je relève la tête d'un mouvement sec. Je suis assise à une table, entourée de la bande de nuls du *yearbook*.

Martin Farris est à côté de moi.

– Le prof est là?

– Non, répond-il.

Ma vision s'éclaircit peu à peu.

– Alors pourquoi tu m'as réveillée?

– Tu allais tomber de ta chaise.

– Figure-toi que j'ai un talent certain pour dormir sur les chaises.

Martin ne réagit pas. Il travaille à un article fascinant sur l'équipe de natation des minimes.

– Pourquoi tu t'es mis à côté de moi?

– C'était la seule place libre.

À la fin de l'heure, je me sauve sans tarder. Malheureusement, je ne marche pas assez vite pour semer Martin qui me suit dans le hall. Il a perdu tout son aplomb subitement. Il bafouille au lieu de parler avec sa voix habituelle d'automate.

– Au fait... je... euh...

– Tu quoi ?

– J'ai interrogé ma copine Kaitlyn à ton sujet.

– Ah ouais ?

– Je lui ai demandé où tu avais bien pu passer le dernier semestre. Elle m'a dit que tu étais en cure de désintoxication.

– Exact.

J'accélère le pas.

– Elle s'est foutue de moi en plus. D'après elle, tout le monde est au courant sauf moi et je suis un abruti.

– C'est marrant, je pensais la même chose.

– Puis j'ai réfléchi, dit-il en courant presque pour rester à mon niveau. Et j'ai eu une illumination. J'ai compris pourquoi tu allais à la bibliothèque. Avant, tu traînais avec Jake, Raj et compagnie. Le problème, c'est qu'ils ont l'habitude de sortir fumer de l'herbe pendant la pause déjeuner. Du coup, tu vas à la bibliothèque faire des mots croisés et dormir.

– Bien joué, Sherlock.

– Après j'en suis arrivé à la conclusion que tu devais t'ennuyer le week-end – et sans doute le reste du temps d'ailleurs – et qu'on pourrait peut-être faire un truc ensemble.

Je continue d'avancer à grands pas sans répondre.

– Oh, rien d'extraordinaire. Mais si tu as besoin de t'aérer, de sortir, de faire de nouvelles connaissances... tu vois...

– Tu te portes volontaire ?

– Oui. Pourquoi pas ? On pourrait aller au centre commercial ou à la patinoire. Je ne suis pas franchement débordé en ce moment.

– Ah bon ? Tiens donc ! Un garçon cool comme toi ne croule pas sous les rendez-vous ?

Il fronce les sourcils mais il ne se décourage pas.

– Je me suis dit : ça ne coûte rien de proposer. C'est Kaitlyn qui a suggéré la patinoire.

– La patinoire ?

– Oui. Paraît-il que les filles aiment ça.

– Oh là là, ce que tu peux être ringard.

– Un ciné alors. Ou autre chose.

– Et ce ne serait pas un rancard ?

– Non. Ce serait juste... histoire de te filer un coup de main. De faire une bonne action. Je suis certain que tu n'as aucun copain qui ne se drogue pas. Voire que tu n'as plus de copains du tout, si Kaitlyn ne s'est pas trompée.

– Alors tu t'offres comme ami de remplacement ? Une sorte de blaireau de compagnie ?

– Non. En réalité, je n'ai pas envie de devenir ton ami parce que, honnêtement, tu n'es pas très sympa. En revanche, je peux consacrer un peu de mon temps à une personne en difficulté.

– Comme c'est gentil de ta part.

– Oui, c'est gentil de ma part. Si tu préfères... on pourrait simplement s'asseoir quelque part et remplir des mots croisés ensemble ?

Je pivote brusquement sur mes talons et je pars en direction du parking.

– Ne le prends pas mal, mais je crois que c'est une très mauvaise idée.

9

En réalité, il y avait encore bien pire comme idée.

Faire des mots croisés avec Martin était un plan génial comparé au projet d'accompagner Trish à l'hôpital pour rendre visite à son ex-meilleure amie paralysée par sa faute.

Je lui avais promis de venir avant notre dispute. Et maintenant qu'elle me tient par ma mauvaise conscience, je ne peux plus reculer.

Ma mère doit nous emmener parce que la Cadillac de Trish est au garage. Je lui explique que cette visite s'inscrit dans notre programme de convalescence post-cure. J'essaie de la convaincre qu'il s'agit d'un acte responsable. Elle est effrayée. Moi aussi. Mais on y va quand même.

On passe prendre Trish chez elle et on traverse toute la ville pour aller jusqu'à l'hôpital de la Providence. Bien sûr, j'ai dit à maman que Trish était une super amie, très gentille, parfaitement normale et pas du tout détraquée.

Quand elle la découvre en chair et en os, avec son visage bouffi et sa coupe de cheveux bizarre, elle est un peu horrifiée.

Mais elle ne fait aucune remarque. Il faut reconnaître une chose à propos de ma famille : on a de bonnes manières.

Ma mère nous dépose devant l'hosto. À l'intérieur, Trish insiste pour acheter des confiseries à la boutique. Alors on fait la queue et on prend une énorme boîte de petits bonbons acidulés : Hot Tamales, Mike and Ike, jujubes, etc.

– Haley aime les Hot Tamales.

Sur ces mots, Trish s'attaque aux jujubes. Elle les fourre deux par deux dans sa bouche et ses joues se remplissent de bonbons.

Je suis Trish dans les couloirs de l'hôpital. Elle connaît le chemin. C'est flippant de marcher dans ces longs corridors, sans fenêtres, sans air. Trish n'a pas l'air impressionnée. Égale à elle-même, évaporée, elle avance à toute allure en bousculant des gens, sans prêter attention à ce qu'il y a autour d'elle à moins que ce ne soit un docteur mignon. Ou n'importe quelle personne de sexe masculin âgée de quinze à quarante-cinq ans.

On appelle l'ascenseur et on monte au dixième étage. Trish est en train d'engloutir les jujubes. Je n'ai jamais vu quelqu'un mâcher autant de bonbons à la fois. Elle me stresse. Je suis de plus en plus nerveuse en pensant à ce qui nous attend.

Les portes de l'ascenseur s'ouvrent. Encore un couloir. Trish se déplace à une vitesse supersonique maintenant. Je dois courir pour rester à sa hauteur.

Arrivée devant la chambre d'Haley, elle entre sans frapper. Mais la pièce est vide. Il n'y a personne dans le lit.

– Je sais où elle est, affirme Trish en m'écartant pour reprendre sa marche frénétique.

Au bout de l'étage, on aperçoit une fille blonde assise dans

115

son fauteuil roulant. Elle a une expression douce et une petite tête toute triste. Elle traîne là, sans rien de spécial à faire. Quand elle nous voit, son regard change. Ses yeux reflètent soudain une crainte profonde.

– Salut Haley, lance Trish avec un débit de mitraillette. Voici Madeline, la fille dont je t'ai parlé. Tu te souviens ? On a vécu dans la même maison pendant la cure. On est devenues amies et on traîne ensemble de temps en temps. On a décroché toutes les deux, on ne touche plus ni à l'alcool ni aux drogues. On essaie de se faire des nouveaux copains – qui ne boivent pas, de préférence. C'est un conseil qu'ils nous ont donné en désintox. Elle est très sympa, intelligente, comme toi, et elle a des bonnes notes. Je suis sûre que vous vous entendrez bien toutes les deux. Je t'ai apporté des Hot Tamales, tes préférés. Je sais que tu les adores. J'ai aussi pris des Mike and Ike goût fruité. Et des jujubes.

En disant cela, Trish m'attrape par le coude et me pousse en avant.

Je m'approche du fauteuil roulant, la main tendue. Mais Haley ne peut pas lever les bras. Elle est paralysée à partir du cou.

Je laisse retomber ma main. Haley me fixe en silence. Franchement, son visage me brise le cœur.

Une infirmière déboule dans le couloir et se précipite vers nous. Elle n'a pas l'air heureuse de voir Trish.

– Vous êtes un peu en retard, mesdemoiselles. L'heure des visites est terminée.

– Je voulais qu'Haley rencontre mon amie Madeline, se défend Trish. Je crois qu'elles vont bien s'entendre. Elles sont un peu pareilles toutes les deux et je parie qu'elles seront bientôt super copines. Hein, Maddie ? Tu aimes bien Haley, non ? Vous pourriez... euh... jouer aux échecs sur l'ordinateur, par exemple.

Trish perd les pédales. Elle ne peut plus s'arrêter de parler.

– Moi, je ne sais pas jouer aux échecs. Je suis nulle aux jeux de société en général. Alors qu'Haley est très bonne pour ça. Pas vrai, Haley ? Je me rappelle que tu adorais le jeu de l'oie quand on était petites. Et le Monopoly. Tu voulais toujours y jouer. Moi, ça m'ennuyait. Je crois que je n'ai jamais pu tenir en place.

Contrariée par le comportement de Trish, l'infirmière saisit les poignées du fauteuil roulant et l'éloigne de nous.

– Hé ! Vous pouvez lui donner ces Hot Tamales ? Ce sont ses bonbons préférés.

Comme l'infirmière refuse de prendre la boîte qu'elle lui tend, Trish la pose sur le plateau du fauteuil, sous le nez de son amie.

C'est évident. Cette femme prend Trish pour une folle dangereuse. Haley aussi. Elles nous tournent le dos et disparaissent au bout du couloir pendant que nous restons plantées là, Trish et moi.

Dans l'ascenseur, Trish ne décroche pas un mot. Dès que les portes s'ouvrent, elle fonce dans le hall d'entrée. Elle se jette vers la sortie. Je suis obligée de courir et quand j'arrive enfin à la rattraper, elle s'arrête brusquement, se retourne et s'écroule sur une chaise près de la porte. La tête basse, elle commence à se balancer d'avant en arrière. Je ne comprends pas bien ce qui se passe mais je m'assois et je pose une main dans son dos pour l'aider à se calmer.

– Oh non, oh non, oh non, gémit-elle, les poings enfoncés dans ses manches.

Elle est toute recroquevillée, tellement penchée que son front touche presque ses genoux.

– Ça va aller, Trish.

– Tu comprends maintenant ? Tu vois de quoi je parlais ?

Je lui réponds que oui, même si, au fond, je n'en suis pas vraiment sûre.

– C'est moi qui ai fait ça. Moi ! Et les gens veulent que je prenne un boulot ? Que je continue de vivre comme si de rien n'était ?

Elle se couvre les oreilles avec les poignets.

– Ça va aller, je lui répète.

– Je voudrais être morte, murmure-t-elle, les yeux rivés au sol. Je t'assure. J'ai jamais voulu être ici. Je mens pas.

Elle se lève d'un bond et franchit la porte à toutes jambes. Je la regarde partir. Où va-t-elle ?

Je cherche mon téléphone au fond de mon sac et j'envoie un texto à ma mère pour l'avertir qu'on risque d'être plus longues que prévu.

10

Deux jours plus tard, le vendredi soir, me voilà dans la voiture de Martin Farris. On va au centre commercial. Il faut croire que j'ai accepté d'avoir un blaireau de compagnie.

Martin se gare dans le parking souterrain. Il a soigné son look. Il porte des Nike neuves ringardes, un jean moche et une sorte de polo de golf. Il a tenu à m'inviter un soir de week-end parce qu'il pense que c'est le moment le plus difficile pour moi.

– C'est là que tu faisais le plus la fête, j'imagine, m'a-t-il dit au téléphone.

– Pas faux, ai-je menti.

En réalité, je sortais à peu près autant tous les soirs.

On traverse la piazza principale, bondée de gens qui tournent sur place. Certains viennent à des rendez-vous amoureux. Je suis un peu gênée mais je suis Martin. J'imite les autres filles. Fidèle à ma nouvelle résolution, je fais ce qu'on attend de moi.

Martin m'entraîne vers le Cineplex. On consulte les horaires des séances en étudiant nos options. Un film vient de se terminer et un flot de personnes sort du cinéma.

J'ai un flash subitement. L'image de Stewart s'impose dans mon esprit et je ne peux plus penser à rien d'autre. Je nous revois tous les deux avachis au fond de la salle du Carlton, les jambes passées par-dessus les sièges de devant.

C'est à cet instant que je réalise que je ne vais pas y arriver. Je ne peux pas faire ça. Pas un ciné. Pas avec Martin Farris.

– Ça ne me tente pas trop de voir un film.

– Ah bon? Pourquoi?

– Parce que.

Martin est perplexe. Et un peu vexé.

– Je croyais qu'on était venus exprès pour ça.

J'évite son regard.

– Le problème, c'est plutôt que tu ne veux pas voir de film *avec moi*. Mais j'ai compris que ce n'était pas un rancard. Il n'y a pas d'ambiguïté, ne t'inquiète pas.

– Non. Je n'ai pas envie, c'est tout. Je préférerais faire autre chose. Et si on allait patiner?

– Tu m'as dit que tu détestais patiner.

– J'ai envie d'essayer finalement. Ça a l'air marrant.

Martin me précède dans l'escalator qui descend à la patinoire. Non seulement je ne sais pas patiner, mais avant ce jour l'idée ne m'aurait même pas effleurée.

On loue des patins et on s'assoit côte à côte sur un banc en bois pour les enfiler. Martin ne parle pas. Je l'ai blessé. Je devrais sans doute lui présenter des excuses. Ou pas. Il va s'en remettre. C'est un geek après tout. Il l'a dit lui-même.

Perchés sur nos patins, on se cramponne à la rambarde.

J'aime bien l'aspect de la glace, parfaitement lisse et blanche, et aussi la sensation de froid revigorante.

Martin est assez intelligent pour comprendre que je ne veux pas d'aide. Hors de question qu'il me tienne la main. Je me révolte à l'avance contre le moindre contact physique. Alors il me laisse me débrouiller toute seule.

Je fais prudemment mon premier pas sur la glace. Je m'imagine que je vais partir en trombe et voler en cercle comme les autres, mais à la seconde où j'avance le pied, je tombe. Et après, impossible de me relever. Je finis par y arriver, pour me recasser aussitôt la figure.

C'est à cause des lames. Les patins se courbent sur les côtés. J'essaie encore. Cette fois, je chute en arrière de tout mon poids et j'atterris sur les fesses.

Martin, lui, s'est déjà fondu dans la foule. Il patine sans difficulté.

Je rampe jusqu'à la barrière et je me hisse sur mes pieds pendant que Martin termine son premier tour de piste.

– La vache, Martin. Comment tu fais ?

– Il faut que tu tiennes tes chevilles bien droites.

– Oui, mais *comment* ?

– Tu dois contracter certains muscles.

Il m'offre son bras et je m'accroche à lui. On se lance. J'arrive à prendre un peu de vitesse et paf ! je me retrouve par terre. Je glisse sur un mètre ou deux avant de m'immobiliser, étalée sur le dos.

– Tu peux m'expliquer pourquoi les gens aiment patiner ? C'est nul.

Martin m'aide à me redresser et on recommence. Je n'arrête pas de me plaindre amèrement bien qu'au fond, ça ne me déplaise pas de tomber, de déraper et de rester allongée sur la surface blanche et froide.

Ça m'engourdit un peu. Ce qui n'est pas désagréable.

On retourne à la voiture et on quitte le parking du Lloyd Center.

– On ferait mieux de rentrer, dit Martin.

– Pourquoi? Il n'est que neuf heures et demie.

– Tu as une idée?

– Allons en ville.

– Il y a quoi, en ville?

– La vie, Martin. Le monde extérieur.

On s'engage sur le pont en direction du centre. Martin est perdu. Je dois le guider dans la circulation, lui indiquer quelles rues prendre, lui montrer les endroits sympas.

On passe devant Pioneer Courthouse Square, la place où traînent les gamins des rues. J'y allais de temps en temps autrefois. D'ailleurs j'aperçois de vieilles connaissances aux abords de la station du métro Express. Il y a notamment Jeff, un dealer de shit local. Il porte un trench-coat avec le mot SOUS-HOMME tracé à la bombe dans le dos.

– Martin, tu vois ce mec? Il s'appelle Jeff Shit.

– C'est son vrai nom? demande Martin en regardant par la vitre, bouche bée.

– Et ça, c'est Bad Samantha.

Martin n'en revient pas que j'aie côtoyé ces personnes. Il les dévisage comme si c'étaient des extraterrestres.

– Alors c'est eux qui te donnaient de la drogue?

– Qui me la vendaient, tu veux dire.

On se gare un peu plus loin. Bien que l'air ahuri de Martin

soit impayable, j'avoue que je me sens moi-même déstabilisée. Et si Jeff m'adressait la parole? Si Bad Samantha me reconnaissait? On a failli en venir aux mains un été, il y a deux ans.

La tête basse, j'entre furtivement dans le Metro Café en compagnie de Martin.

Le pauvre tombe encore des nues. Il prend conscience d'un coup que tous les jeunes ne se donnent pas forcément rendez-vous au club de maths ou dans le sous-sol d'un voisin pour jouer aux jeux vidéo. Les filles de la ville au style sophistiqué et les skaters cool le laissent sans voix.

Il commande un *latte* décaféiné ; moi, un triple expresso. Je le laisse payer et on s'installe à une table dans le fond sans échanger un mot. Martin ne peut pas s'empêcher de fixer les gens. Il commence par observer deux demoiselles sexy en minijupe, puis un garçon qui porte du maquillage. À un moment, une fille ivre morte entre en titubant et en beuglant. Elle se jette sur quelqu'un pour lui mettre des coups de pied. Ses copains essaient de l'arrêter mais elle les cogne eux aussi. Le gérant du bar intervient et la traîne dehors de force.

Je la montre à Martin en sirotant mon expresso.

– Tu la vois, elle?

– Ouais?

– C'est moi avant.

Lorsqu'il me dépose chez moi, Martin me remercie de lui avoir fait visiter le centre.

– Tu pourrais y aller tout seul, tu sais.

– Hmm... je ne crois pas. Mais je suis content d'y être passé.

En descendant de voiture, je jette un coup d'œil à mon

chauffeur avant de refermer la portière. Il regarde à travers le pare-brise d'un air songeur. Il doit méditer sur sa nature de lycéen ignorant et surprotégé, je suppose.

– Bonne nuit, Martin.

– Ouais. OK. Bonne nuit.

Je lui fais au revoir de la main et je remonte l'allée. Dès l'instant où je franchis le seuil, la soirée n'est plus qu'un vague souvenir.

Stewart rentre dans quatre jours.

11

Le soir où Stewart sort de Spring Meadow, je pars pour une longue promenade dans mon quartier. Je l'imagine en train d'attendre à la gare routière de Carlton. Je le vois monter dans un car, choisir un siège à côté de la fenêtre et contempler le paysage au cours du trajet interminable qui le sépare de la maison de sa mère à Centralia.

Au bout de ma rue, je passe devant le petit square qui prolonge le jardin public. Je repense à tous les garçons qui m'ont plu au fil des ans. Il y a eu Craig Lessing en CM1. Ryan Jones qui vendait du shit derrière le bowling, au collège. Rex Hemple, le gars à qui j'ai donné ma virginité dans un champ. On venait de siffler un cinquième du meilleur whisky de son père.

Je me souviens très bien de cette nuit-là. Je titubais dans la rue, encore soûle, toute débraillée, avec la sensation que mon corps ne m'appartenait plus vraiment. D'autres souvenirs de l'époque « Maddie le pit-bull » me remontent à la mémoire. Par exemple, ces nuits où des garçons plus vieux me ramenaient chez moi. Les vitres de leurs voitures tremblaient à cause de la musique trop forte et les vapeurs de shit enfumaient l'habitacle. Parfois leurs copines, excédées, les obligeaient à me larguer au pied de la colline. Je me rappelle aussi toutes ces fois où les agents tellement serviables de la police de West Linn m'ont rendue à mes parents.

Mais ce soir, le quartier est parfaitement calme. Je peux débarrasser mon esprit de tout ce qui le parasite pour ne garder que l'image de Stewart et de notre futur ensemble. Quoi qu'il arrive, il restera toujours le premier garçon à qui j'ai offert mon cœur. Il est une sorte de gardien, le détenteur de quelque chose de précieux. Il me possède, moi, d'une manière qu'il ne soupçonne même pas.

Et heureusement. Il vaut mieux que les garçons ignorent leur pouvoir. Ils paniqueraient sûrement, ils feraient tout capoter.

C'est pourtant à eux qu'on se donne. Pas aux parents, ni aux profs, ni à son « avenir ». Non, on se donne toujours à un garçon.

Et on finit par faire de longues promenades au crépuscule en pensant à eux et en se demandant dans quel état ils nous laisseront.

12

Vendredi, c'est le grand jour.

Je me réveille tôt, je prends une longue douche, j'enfile avec soin une tenue que j'ai choisie il y a déjà un mois.

Je vais au lycée. Je suis mes cours du matin. À midi, je m'assois dans la bibliothèque et je grignote mes carottes.

J'enchaîne avec les cours de l'après-midi. Les enseignants enseignent. Les élèves écoutent. Je n'entends rien, je ne vois rien.

Après les cours, je longe à pied trois pâtés de maisons et, parvenue à la gare, je prends le métro Express en direction du centre-ville. Une fois là-bas, je marche jusqu'à la grande bibliothèque centrale où j'ai rendez-vous avec Stewart à cinq heures.

Je porte ma jupe préférée, des leggings, un imperméable vintage cintré à la taille et des lunettes de soleil. Je descends enfin de mon petit nuage au moment où j'aperçois la bibliothèque. Là, mon cœur se met à battre la chamade et mes paumes deviennent moites. Mais je dois rester calme. Pas question de me comporter comme une midinette enamourée. Je dois me montrer digne de Stewart.

Je grimpe l'escalier en pierre et je m'assois sur un banc à l'extérieur. Bien qu'on soit encore en février, l'air sent bon le printemps. Les oiseaux gazouillent dans les arbres. Une rangée de fleurs violettes essaie de s'épanouir le long du bâtiment.

Des rats de bibliothèque gravissent les marches. Une étudiante réunit des signatures pour Greenpeace. Un homme avec un attaché-case monte l'escalier d'un pas ample et déterminé.

J'ai du mal à associer Stewart avec ce décor. Il faut dire que c'est dur de l'imaginer dans n'importe quelle scène de la vie normale. Il est tellement différent des autres, tellement éclatant.

Enfin il apparaît, descendant la rue à grandes foulées. Je suis sous le choc, comme chaque fois. Son air jeune, insouciant et innocent me chavire.

J'ai eu beau me préparer, réfléchir à quelques phrases pleines de dignité pour l'accueillir – j'oublie tout sitôt qu'il entre dans mon champ de vision. Je bondis et je m'élance vers lui. Lorsqu'il me voit, son visage s'illumine. Je dévale les marches quatre à quatre et je lui saute au cou au milieu des sourires attendris des badauds.

– Salut, toi, dit-il en me soulevant de terre.

Je suis incapable de parler. *Stewart, mon amour, mon prince.* Je le serre si fort et si longtemps que mes bras se tétanisent. Tant pis, je continue de m'accrocher à lui malgré la douleur. Je voudrais que ça ne s'arrête jamais.

13

On prend la direction du centre-ville. Le soleil pointe le bout de son nez. Je souris aux passants dans la rue. Je me sens heureuse.

On entre dans un Starbucks, où je commande deux chocolats chauds même si Stewart louche sur les cafés.

– Dommage pour toi. Tu boiras un chocolat et c'est moi qui invite.

Stewart part chercher une table en grommelant. Il est égal à lui-même, adorable et un peu maladroit. Quatre lycéennes se retournent sur son passage, bouche bée. Sa beauté leur coupe le sifflet.

Je les ignore. J'apporte les tasses et je m'assois face à lui.

Pendant un moment, on se dévisage en silence d'un air béat.

– Alors c'est comment, le monde extérieur ? finit-il par me demander.

– Nul – mais beaucoup moins depuis quelques minutes.

Il sourit, les yeux baissés.

On commence à bavarder. On discute de sa situation. Des bizarreries du lycée. Je lui parle de Trish et de notre journée à l'hôpital.

Son regard se pose sur mon doigt. Je sais qu'il vient d'apercevoir la bague. Je souris, vaguement embarrassée, mais je ne dis rien.

Ensuite, on se promène dans le centre. Après avoir assisté au spectacle des skaters, on achète des rouleaux de printemps à un traiteur chinois et on va au parc. Là, sur un banc, je m'appuie contre lui en lui tenant le bras. On passe la fin de journée à buller, à refaire connaissance.

Quand la lumière commence à baisser, Stewart propose une séance de ciné. J'ai le sentiment que ce n'est pas la meilleure façon de profiter de ces précieuses heures ensemble, mais je ne veux pas lui gâcher le plaisir...

Et puis ça nous rappellera les mardis soir à Spring Meadow.

Sauf que cette fois, c'est un vrai cinéma. La place coûte douze dollars et le paquet de pop-corn, six. Je règle le tout.

On s'installe devant les bandes-annonces. Je me blottis contre Stewart. J'essaie de me rapprocher le plus possible, mais les sièges en plastique raides et les accoudoirs munis de porte-gobelets ne me facilitent pas la tâche. En plus il y a des appuie-tête sur les fauteuils de devant si bien qu'on ne peut pas reposer nos pieds sur les dossiers.

– Je ne suis pas allée voir un film depuis notre dernière soirée cinéma.

– Ah bon ? s'exclame Stewart.

– Il y a un garçon qui voulait m'inviter mais j'ai refusé.

– Ah.

– C'était juste un copain. Pas un *garçon*. Juste un gars du lycée avec qui je me suis retrouvée coincée un soir.

Stewart reste muet. Bravo, Maddie. Tu as perdu une occasion de te taire.

Le film commence. Je le suis à peine, trop occupée à me pelotonner contre Stewart et à respirer son odeur à pleins poumons. Je ne peux pas m'en empêcher.

Il me donne des petites tapes sur la tête comme si j'étais un chiot en manque d'affection. Ce qui n'est pas très loin de la vérité.

Les rues sont calmes après la séance. Il fait froid dehors et il n'y a pas un souffle d'air. Je glisse ma main sous le coude de Stewart. J'ai envie de le raccompagner jusqu'à l'arrêt de car, mais comme il est déjà dix heures, il tient à me mettre dans le métro.

– Tu as école, plaisante-t-il. Tu dois rentrer chez tes parents et faire tes devoirs.

Je me laisse escorter jusqu'à la gare. À la seconde où on descend sur le quai, la rame débarque. Je refuse de partir avant d'avoir obtenu un vrai baiser d'au revoir. Stewart s'exécute. C'est à la fois divin et... un peu bizarre. Je ne peux pas le décrire. Je sens une réticence chez lui. Aurait-il peur de moi ? Ou alors il me trouve trop jeune ? Je ne sais pas.

C'est peut-être mon côté chiot frustré qui l'a rebuté. Ou le fait que j'aie tout payé.

La rame suivante arrive à dix heures et demie. Il insiste pour que je la prenne. Je refuse. Alors il me soulève et me fait monter de force. Il m'assoit sur un siège, puis il se dépêche de ressortir avant que les portes ne se ferment. Je cours à la fenêtre et j'appuie mon front contre la vitre.

J'ai toujours sa bague. Je la lui montre du doigt à travers le carreau.

Il m'adresse un sourire rassurant, l'air de dire : « Ne t'inquiète pas, tout va bien se passer. » Je lui envoie un baiser.

Le train se met en mouvement. Stewart agite la main. Je ne le lâche pas des yeux et lorsqu'il disparaît, je me laisse tomber sur un siège.

Je me sens tellement heureuse ! C'est presque trop d'émotion. Ça me donne envie de planer. Pendant une fraction de seconde, je me demande si Jeff Shit est toujours en ville. Sinon je pourrais contacter Jake ? Ou Raj ?

Mais je me rappelle bien vite qui je suis, ce que je suis et où j'en suis.

Non. Je ne peux pas faire ça.

14

Le lendemain midi, Martin Farris m'attend à la bibliothèque. Curieusement. Il est assis à notre table habituelle
avec un gros sac Taco Bell devant lui.

– C'est quoi?

– Notre déjeuner, dit-il. J'ai une idée.

– Ah bon?

– Tu vas venir manger ça avec moi à la cafétéria.

– Et pourquoi?

– Parce que tu ne vas pas passer les pauses déjeuner plan-
quée à la bibliothèque pour le restant de tes jours.

Je le regarde fixement.

– Ne fais pas ça, Martin.

– Quoi? Tu as vraiment l'intention de ne jamais remettre
les pieds au self?

– Mêle-toi de tes oignons. Je te signale que ça ne gêne personne.

– Si, moi, ça me gêne, affirme-t-il, très sûr de lui. Ce n'est
pas normal.

– C'est pas ton problème.

– Il y a quelqu'un qui te fait peur? Qui essaies-tu d'éviter?

Je lui jette un coup d'œil dédaigneux.

– Crois-moi, je n'ai peur de personne ici.

– Dans ce cas pourquoi tu ne manges pas avec tout le monde?

À court d'arguments, je finis par le suivre à la cafèt' pour lui clouer le bec.

Dès que je franchis le seuil, je comprends que j'avais raison de fuir cet endroit. Il y a des gamins qui hurlent partout, le bruit est insupportable. On passe à côté d'Emily Brantley qui est attablée avec plusieurs membres de sa clique. Lorsqu'elle me voit, elle murmure un truc et ses amis éclatent de rire.

Merci, Martin.

D'ailleurs, le fait que je sois avec *Martin Farris* n'arrange pas les choses. C'est vraiment l'idée du siècle de me montrer enfin en public au côté d'un des pires geeks du lycée.

On s'assoit et, au bout du compte, il ne se passe rien de si terrible. Martin ouvre tranquillement le sac Taco Bell. Il me tend un burrito, s'en sert un. Il déchire l'emballage du sien et mord dedans.

– Mange, ordonne-t-il.

J'obtempère, tout en continuant de guetter les réactions autour de nous. Je prends une bouchée. Le burrito n'est pas mauvais. J'en croque un deuxième bout. La panique qui me serrait la poitrine commence à s'apaiser. Personne ne fait attention à moi. À bien y réfléchir, je n'ai passé que très peu de temps dans ce lycée. Le gros de la période «Maddie le pitbull» remonte à un an, voire plus. Personne ne s'en souvient. Tout le monde s'en fout.

Je me mets à observer les autres élèves. D'abord les minuscules bizuts. Puis une fille qui a des lunettes rondes et un look d'artiste. Ensuite un petit gang de skaters de seconde, plutôt mignons avec leurs cheveux longs.

En fait, ça va. Ça pourrait être mieux. Mais ça pourrait être pire.

15

Après les cours, Emily Brantley m'intercepte sur le parking. Elle s'arrête devant moi au volant de sa Saab noire tandis que je clos une conversation téléphonique avec ma mère.

– Hé, Miss Désintox, tu veux faire un tour ? crie-t-elle.

Elle porte une casquette de base-ball Hurley qui appartenait à Raj.

– Non merci. Ma mère vient me chercher.

– Rappelle-la. Dis-lui que tu as trouvé quelqu'un pour te ramener. J'ai un truc à te demander.

J'ignore ce qu'elle me veut, mais je suis curieuse de le découvrir. En plus, maman a un cours de cuisine et elle n'arrivera pas avant une demi-heure.

Je monte dans la voiture d'Emily. Elle démarre, s'envole par-dessus les ralentisseurs et quitte le parking comme une fusée.

– Tu veux un bout de pizza ? me propose-t-elle.

– Non, pas franchement.

Je serre les dents et je m'accroche à tout ce qui dépasse.

– Moi si. Ça t'ennuie si on fait un saut à Hot Lips Pizza, au bout de la rue ?

– Non.

Elle pile devant la pizzeria. Il y a d'autres lycéens d'Evergreen ici. Emily Brantley a une réputation de fêtarde. Elle est aussi connue pour être sexy et sortir avec des tas de garçons. Du coup, on ne passe pas inaperçues.

Elle achète une part de pizza pepperoni et on va s'asseoir. Comme par magie, pile à ce moment-là, la meilleure table se vide et nous tend les bras.

Emily se glisse sur la banquette et mord dans sa pizza à pleines dents.

– Alors, dit-elle.

Je la dévisage.

– Alors quoi?

– Comment ça va?

– Bien. C'est tout ce que tu voulais savoir, Emily?

– Non. Pourquoi tu es si susceptible?

– Peut-être parce que tes potes et toi, vous vous êtes foutus de moi à la cafèt' aujourd'hui?

– De quoi tu parles? On ne s'est pas moqués de toi. Arrête la parano.

Bon, elle marque un point. En réalité, je ne sais pas ce qu'ils se sont dit.

– Je voulais te poser une question, continue Emily. C'est à propos de ma sœur.

– Je ne savais pas que tu avais une sœur.

– Si. Elle est en troisième. Et elle a des problèmes.

Je ne m'attendais pas à cette révélation. Je tourne la tête vers une bande de garçons serrés autour d'un jeu d'arcade.

– Je ne suis pas sûre d'être la bonne personne pour parler de ça.

– Ses ennuis n'ont rien à voir avec l'école. Non, ce qu'il y a, c'est qu'elle fait trop la fête. Beaucoup trop. Le week-end dernier, elle a tellement bu qu'elle a perdu connaissance. La police l'a retrouvée dans Raleigh Park.

C'est fou. Pour ma première beuverie, je me suis évanouie dans Raleigh Park. Et après je me suis fait ramasser par la police.

– Mes parents flippent. Forcément. Et puis il y en a d'autres qui prétendent que ce n'est pas grave. «Non, ça va, elle ne tient pas l'alcool, c'est tout...» Mais si, elle tient l'alcool. Mieux que toi ou moi. C'est bien ce qui m'inquiète. Si on faisait un concours, on roulerait sous la table avant elle.

J'en doute, mais je ne dis rien.

– Elle sort avec Bryce Handler. Elle est hyper canon. Ça aussi, ça craint. Elle obtient tout ce qu'elle veut. Elle n'a qu'à claquer des doigts. Surtout avec les garçons.

– Comment elle s'appelle?

– Ashley. Je serais surprise que tu la connaisses, même si elle est en train de se bâtir une sacrée réputation. (Emily se penche en avant.) Les gens me trouvent pas sérieuse? Eh bien elle est dix fois pire que moi.

– Hmm, ça fait beaucoup.

Emily croque dans sa pizza.

– Je pensais que tu aurais peut-être des conseils à me donner.

– Vous pourriez l'envoyer en cure. Là où j'étais, il y avait une fille de quinze ans.

– Je crois que mes parents envisagent de la mettre dans un de ces camps scouts – le genre «qui aime bien, châtie bien», tu vois? C'est mieux, à ton avis?

– Aucune idée. De toute façon, tant que la personne n'a pas vraiment envie de changer, ça ne sert à rien.

– C'est exactement ce que j'essaie d'expliquer à ma mère. Ashley n'a pas encore atteint ce stade. En ce moment, elle cherche juste à énerver un maximum de monde. Elle ferait n'importe quoi pour attirer l'attention.

– On en est tous là, je soupire. On en est tous là.

16

Trish ne s'est pas manifestée depuis la visite à l'hôpital. Et puis, un jour, elle appelle. Histoire de me faire un petit coucou et de prendre de mes nouvelles, dit-elle. Je lui réponds que je vais bien. Elle m'a vraiment foutu les jetons à l'hosto, mais je dois admettre que je suis soulagée d'entendre sa voix.

On parle de tout et de rien. Elle se cherche un copain sur Internet. Après elle donne rendez-vous aux prétendants dans des cafés. Elle a tenté de s'inscrire sur le site de rencontres eHarmony mais ils ont rejeté sa candidature parce qu'ils estimaient qu'elle ne partageait pas assez les valeurs chrétiennes et...

– ... et que j'étais qu'une chaudasse, en gros, résume-t-elle.

Elle me raconte ça comme une bonne plaisanterie – ha ! ha ! je suis lamentable, personne ne veut de moi à part des gars mariés et chauves de quarante ans...

Elle n'a pas l'air d'aller très fort.

Alors j'accepte sa proposition de virée shopping. Le vendredi, on se retrouve en ville, dans le grand magasin de Nordstrom. Son comportement ne me rassure pas du tout sur son état mental. Elle se paie des chaussures bizarres qui coûtent un bras, puis plein d'articles de lingerie d'un goût douteux. Au moment où on s'en va, elle n'arrive plus à mettre la main sur son portefeuille, ce qui ne me surprend pas puisqu'elle perd complètement la boule dans les boutiques. Elle ne fait plus attention à rien.

Du coup, on doit retourner à la caisse où elle a réglé ses derniers achats. Malheureusement, la vendeuse n'a rien retrouvé. On essaie la cabine d'essayage, au cas où le portefeuille aurait glissé pendant qu'elle se changeait. Rien. On alerte le responsable du magasin, on fait un scandale et voilà tout le personnel de Nordstrom lancé dans une grande chasse au portefeuille. Trish se met soudain à paniquer et je dois l'évacuer.

Je l'emmène au Metro Café. Là, je nous commande du thé et on s'assoit à une grande table dans le fond. Tandis que j'essaie de la calmer en sortant une à une toutes les saloperies qu'elle a achetées, je tombe sur son portefeuille au fond d'un sac. Lorsque je le jette sur la table devant elle, elle part dans un grand rire hystérique.

Maintenant je suis sérieusement angoissée. Le truc qui m'effraie le plus, c'est que Trish est toujours ma meilleure amie.

Qu'est-ce que ça révèle sur moi ? Je me le demande...

17

Ces jours-là, je consacre l'essentiel de mon temps à comploter pour voir Stewart. Ce n'est pas évident de trouver une solution puisqu'il habite à Centralia, une ville inaccessible.

On finit par organiser quelque chose pour le week-end suivant. Sa mère part à Las Vegas et j'en profiterai pour lui rendre visite.

J'ai l'impression de deviner à l'avance ce qui va se passer chez lui quand on sera seuls. Enfin, j'espère ne pas me tromper. D'un autre côté, qui sait ce qui arrive quand on partage un lit avec un garçon sans être ivre morte ? Pas moi.

Le samedi matin, je prends le métro Express pour aller en ville et ensuite je monte dans un car, direction Centralia. Stewart m'attend là-bas, dans un vieux fourgon qui roule à peine et qui n'a ni plaque d'immatriculation ni vignette d'assurance.

Le fourgon manque de tomber en rade sur le trajet mais on finit par atteindre la maison de sa mère.

À défaut d'être bavard, Stewart semble de bonne humeur.

Ça fait drôle de devoir planifier ce genre de rencontre. De si peu se parler dans l'habitacle. J'ai le sentiment que mon image s'est estompée dans son esprit, d'une certaine façon. De m'être légèrement effacée. Nous ne sommes plus le couple qui marchait sous la pluie entre la station d'essence et les pavillons de Spring Meadow au beau milieu de la nuit.

Mais je compte bien reconquérir ma place dans son esprit. Si je ne parviens pas à raviver la flamme aujourd'hui, c'est à désespérer.

La maison de sa mère ressemble à un petit cube, avec une pelouse mal entretenue au bout d'une allée en gravier. Les maisons voisines sont elles aussi assez délabrées. Elle n'habite pas un quartier génial.

Stewart coupe le moteur sans dire un mot. On remonte l'allée à pied. Puis, sitôt qu'on franchit le seuil, il commence à m'embrasser. Je suis surprise qu'il soit aussi direct. Je ne m'attendais pas à ça. Il enlève son T-shirt, m'ôte le mien. Il déboucle sa ceinture. Je ne parviens pas à déchiffrer son expression. À quoi pense-t-il ?

Je l'arrête avant qu'il ait terminé de me déshabiller. La bouche sèche, je monte dans le lit. Je ne sais même plus si j'en ai envie.

Je vois bien qu'il n'est pas à l'aise, lui non plus. Il quitte la pièce, revient avec une canette de Coca, l'ouvre et la boit, assis au bord du lit.

Moi, je reste immobile, les couvertures remontées jusqu'au menton et les yeux rivés sur son dos lisse.

– Ça va ? je lui demande.

– Et toi ?

– Je suis un peu nerveuse.

– Moi aussi. (Il boit une gorgée de Coca.) Excuse-moi de t'avoir sauté dessus comme ça.

– C'est pas grave.

Tandis que je le regarde fixer sa canette, j'ai une illumination. Ça y est, j'ai compris : il a peur de ne pas être assez bien pour moi. Je lui dis d'une petite voix :

– Stewart.

– Oui.

– Je t'aime.

– Sûre ?

– Oui.

Il se retourne en me souriant.

– Bon, d'accord.

Nos gestes sont maladroits. Comment pourrait-il en être autrement ? Et la lumière du jour n'aide pas. On se débat avec nos vêtements. Je galère pour enlever mon soutien-gorge. Stewart s'emmêle les pinceaux dans les jambes de son pantalon – un peu plus et il tombe du lit.

Une fois prêts, on a tellement d'appréhension qu'on s'interrompt. Sa peau, d'habitude si chaude et douce au toucher, me semble froide et je sens lorsqu'il m'embrasse qu'il est hésitant. Du coup, moi aussi, et rien ne s'enchaîne comme il faudrait. On décide alors de renoncer – quel désastre ! Il vaut mieux en rire. Et là, miracle ! on commence enfin à se détendre et à se retrouver peu à peu.

Ensuite, c'est parfait. Il n'y a plus ni précipitation, ni doute, ni réticence, ni regret. On est réunis, on se dévore des yeux et c'est incroyable ce qu'on ressent.

Quand c'est fini, je me blottis entre ses grands bras et je me laisse gagner par un sommeil sans rêves.

18

À mon réveil, il fait sombre. Stewart est dans la cuisine. Je le vois dans l'entrebâillement de la porte. En caleçon, il allume la cuisinière et cherche une poêle autour de lui. Il me demande si je veux des œufs brouillés. La radio est allumée et il monte le son en entendant *Sweet Emotion* passer.

Emmitouflée dans le sac de couchage, je le rejoins dans la cuisine et je m'assois à table. Je souris en silence en le regardant jouer le chef. Il s'agite dans tous les sens. Il met du fromage sur les œufs et prépare des toasts en faisant semblant de parler français. Il s'amuse comme un petit fou.

Pendant que les œufs crépitent, il s'approche de moi, une spatule à la main. Il se penche, me tient le menton et m'embrasse sur le front.

– Tu n'imagines même pas à quel point tu es adorable dans cette tenue, me dit-il.

Je souris, heureuse, et il dépose un autre baiser sur le sommet de mon crâne.

– Tu sais à quoi je pensais? continue-t-il.

– Non, à quoi?

– À me teindre les cheveux en noir.

– Ah bon ?

– Il y a une coiffeuse en bas de la rue. Elle a proposé de me le faire gratuitement si je veux.

Je hoche la tête.

– Mais rappelle-toi l'expression : les blonds sont plus polissons.

– Pas faux, acquiesce-t-il en me rendant mon sourire.

Je remonte le vieux duvet sur mes épaules nues.

Une coiffeuse en bas de la rue... Elle a proposé de me le faire gratuitement...

Oh non, je ne vais pas commencer. Je n'ai pas le droit d'être jalouse. Hors de question.

Stewart prend le risque de se faire arrêter en me reconduisant jusqu'à la gare dans son fourgon détraqué. On a une conversation décousue. On n'échange pas un mot sur ce qui vient de se passer entre nous et ce que cela pourrait signifier. Stewart préfère me parler du petit garage dans lequel il répare des motos à la sortie de Centralia. Il espère que ce job débouchera sur un vrai boulot.

En me voyant jouer avec la bague de sa grand-mère, il s'exclame :

– La bague ! Tu l'as toujours !

– Bien sûr que je l'ai toujours. Tu croyais quoi ?

– Et tu la portes, en plus. C'est génial.

– Je devais la garder jusqu'à ton retour. Tu veux la récupérer ?

– Non. J'aime autant que ce soit toi qui l'aies. Comme ça, je sais qu'elle est en sûreté.

– Il faudra bien que tu la reprennes un jour ou l'autre. Elle est à toi.

147

– Elle est à nous deux maintenant. Tu ne crois pas ?

Je la fais tourner autour de mon doigt.

– Non. Elle appartenait à ta grand-mère. Tu me l'as prêtée, c'est tout.

Il affiche un grand sourire.

– Elle est parfaitement bien où elle est. Je ne peux pas imaginer meilleur endroit.

– C'est vrai ?

– Et comment !

Dans ces moments-là, j'ai l'impression de nager dans le bonheur.

Troisième partie

1

Mon père poursuit ses affaires dans le business de l'énergie solaire. Ça a un impact réel sur ma vie. Souvent quand je rentre à la maison, je tombe sur des gens importants – des investisseurs étrangers, des politiciens locaux, des gens riches qui essaient de devenir encore plus riches. Je suis toujours présentée, alors je serre des mains et je me conduis avec la plus grande dignité.

Des traiteurs apparaissent régulièrement dans notre allée. Parfois ils fument en cachette derrière les buissons, à côté de la boîte à lettres. Une vraie machine à expresso (venue d'Italie) atterrit dans notre cuisine. C'est ce que je préfère. En revanche, je déteste les soirées cocktail. Je n'aime pas les odeurs d'alcool qui montent du salon par bouffées. Ni ces adultes louches à moitié ivres qui déambulent dans le couloir devant ma chambre.

L'emploi du temps de mon père est imprévisible. Une semaine, il est à la maison dans son bureau à travailler douze heures par jour ; la suivante, il part faire Dieu sait quoi sur la côte Est ou au Japon. Maman et moi, quand on est seules, on a tendance à se réfugier chacune à un bout de la maison. J'apprécie ces périodes de solitude. Je peux rattraper mon retard sur les programmes télé que j'ai enregistrés.

Le premier mardi des vacances de printemps, papa nous demande subitement de préparer nos bagages pour aller à Aspen, dans le Colorado, où il a un rendez-vous d'affaires de dernière minute. Ma mère est tout excitée. Moi aussi, même si je me demande à quoi je vais m'occuper là-bas.

Le vol dure trois heures. Mon sac de cours glissé sous le siège, je tiens un exemplaire de *Sa Majesté des mouches* sur mes genoux. J'étais décidée à lire mais en fin de compte, je consacre l'essentiel de mon temps à rêver de Stewart. Je l'imagine assis à côté de moi ; on bavarde, on plaisante, on se tient la main sur l'accoudoir. Je lui parle dans ma tête, je lui confie des choses à propos de ma famille. Je lui explique que mon père est accro au boulot et que ma mère a du mal à le supporter. Devant lui elle s'écrase et ensuite, elle s'énerve après moi sans raison.

Ou – encore mieux – je repense à la journée qu'on a passée chez sa mère. Je me rappelle l'aspect satiné de son dos dans la lumière de l'après-midi, ses caresses délicates, données du bout des doigts, le contact rugueux de sa peau mal rasée autour des lèvres, sur les joues et les tempes. C'est tellement bizarre d'être aussi proche de quelqu'un. Et génial à la fois.

Je me sens bien à l'intérieur du refuge chaud et douillet de ma conscience, à revisiter ces moments magiques... jusqu'à ce que mes parents m'interrompent... puis l'hôtesse de l'air... et qu'on soit enfin obligés de boucler nos ceintures pour l'atterrissage.

2

Je dois reconnaître que séjourner dans un bon hôtel a au moins un avantage : on peut oublier pendant quelques heures qu'on est juste un lycéen ingrat.

Je passe ma première soirée à Aspen assise dans le hall, à faire semblant de lire *Sa Majesté des mouches* tout en observant les clients. Je commande une tasse d'earl grey au bar. Je me sens très adulte... jusqu'au moment où un jeune homme en costard m'aborde et me demande sur un ton mielleux où se trouve la discothèque. Je réponds en bafouillant :

– J'en sais rien, je suis encore au lycée !

Le lendemain matin, j'essaie de me rattraper. J'adopte un look sophistiqué en mettant mes plus grosses lunettes de soleil et mon imper vintage cintré, et je sors me promener autour de l'hôtel. L'expérience se révèle très amusante. Les gars, jeunes et vieux, me matent en passant, l'air curieux, comme s'ils essayaient de me cerner. Plus tard, tandis que, à la terrasse d'un célèbre café, je sirote un expresso avec un zeste de citron tout en feuilletant le dernier exemplaire de *Vogue*, j'appelle Trish pour une partie de « Devine où je suis ». Elle joue le jeu à fond :

– Tu es glamour ou ridicule ?

– Glamour.

– Vintage ou XXIe siècle ?

– Plutôt vintage.

– Côte Est ou côte Ouest ?

– Entre les deux.

– Il y a des célébrités autour de toi ?

– Il y a des photos de célébrités au mur – dédicacées.

Entendre sa voix me donne soudain très envie de la revoir. Trish est la seule amie qui me comprenne vraiment à ce stade de ma vie.

Ce soir-là, mon père est invité à un dîner chic et puisque les autres convives ont des enfants en âge d'aller au lycée, je dois venir aussi.

Papa conduit notre SUV de location jusqu'à un bungalow isolé au beau milieu des bois. Là-bas, après les présentations de rigueur, je dois me montrer sociable avec les autres ados présents. C'est plus facile à dire qu'à faire. Amy Smithline, ma voisine de table, n'arrête pas de la ramener parce qu'elle a été acceptée à l'université Columbia de New York.

– C'est une des meilleures universités privées de la côte Est, me répète-t-elle au moins trois fois, et une des plus anciennes. On a tendance à l'oublier parce qu'elle est située à Manhattan mais, à mon avis, c'est le top. Elle est à la fois élitiste et moderne, tu vois. Il aurait fallu me payer pour aller à Yale. Tu as déjà visité New Haven ? C'est un trou à rats !

Après le dîner, je me réfugie près de la cheminée, à côté de deux garçons prénommés Peter et Chad. Ils ont trouvé un prétexte intelligent pour fuir Amy Smithline : ils font griller des marshmallows. On bavarde un peu. Je les regarde manger.

Puis ils me demandent si j'ai envie d'aller promener le chien avec eux. Au début j'hésite, mais ma mère, sur qui je peux toujours compter, m'ordonne de les accompagner. Elle prétend que ce sera chouette, que j'ai besoin de sortir et que l'air de la montagne me fera le plus grand bien.

Alors j'obéis. On met nos manteaux dans le couloir d'entrée. Peter et Chad sont mignons tous les deux, dans le genre preppy classique. Ils portent des parkas hors de prix, des après-ski L.L.Bean et des bonnets norvégiens.

Ils vont chercher le chien et on l'emmène dehors. Après avoir parcouru quelques mètres seulement sur l'allée, Chad sort un joint de la poche de son manteau et l'allume.

Je ne fais aucun commentaire. Je ne suis pas surprise, mon petit doigt m'avait dit qu'ils fumaient.

Chad tire une grosse bouffée et tend le joint à Peter. Peter tire dessus à son tour avant de me l'offrir. J'esquive en me baissant pour câliner le chien.

– Non, merci.

– Tu ne fumes pas ? s'exclame-t-il, étonné.

– Non.

– Pourquoi ?

– Ça me... donne mal à la tête.

– Moi, ça soulage plutôt mes migraines ! plaisante Chad.

Peter prend une autre taffe.

L'odeur de l'herbe est *trop bonne*. Elle me fait tourner la tête et je sais que je dois m'écarter. Je laisse le chien m'entraîner au bout de l'allée. Je ramasse un bâton et je l'envoie au milieu des bois. Je continue mon chemin jusqu'à ce que les garçons soient hors de vue.

Mais dans le silence de la forêt, je les entends toujours chuchoter devant le bungalow :

– Je déteste les filles rabat-joie, déclare Chad entre deux bouffées.

– C'est dommage, elle était mignonne, répond Peter.

– « Ça me donne mal à la tête » ? Bien sûr ! C'est juste une gonzesse coincée, c'est tout.

Je retrouve le bâton et je le lance de nouveau. Le chien s'enfonce plus loin entre les arbres. Je cours derrière lui.

Quelques minutes plus tard, Chad crie :

– Hé, machine ! Ramène le chien quand tu auras fini ! On rentre.

– D'accord ! je hurle.

Dès qu'ils sont partis, je me couche dans la neige en soupirant de soulagement.

Le chien me rejoint par petits bonds joyeux, me saute sur la poitrine et me lèche le visage.

3

De retour à l'hôtel, je m'assois sur un divan dans le hall et j'appelle chez la mère de Stewart. Pour changer, c'est lui qui décroche. Malheureusement il ne peut pas trop me parler : il est dans le garage avec un copain en train de désosser une Harley-Davidson.

– C'est pas évident de s'arrêter en plein milieu, s'excuse-t-il.

S'il croit pouvoir se débarrasser de moi aussi facilement, il se trompe. Je veux savoir quand je le reverrai. C'est alors qu'il m'annonce son projet de retrouver son père.

– Ma sœur vient de l'avoir au téléphone. Il est à Redland.

Redland est une ville du sud-est de l'Oregon connue pour ses hippies et ses champs de marijuana.

– Qu'est-ce qu'il fait là-bas ?

– Personne n'en a la moindre idée. Il a coupé le contact avec tout le monde depuis quatre ans. Le problème, c'est que je ne peux plus vivre chez ma mère. Elle n'arrête pas de me taper de l'argent et tout.

– Pas cool.

– Il faut que je cherche mon père. Il doit bien rester une personne saine d'esprit dans cette famille, non ?

– Et ta sœur ?

– Elle est sympa. Mais son copain trempe dans des trucs louches.

Je ne sais pas quoi lui répondre.

– Tu vas partir combien de temps ?

– Tant que je n'ai pas discuté avec lui, je ne peux pas te dire.

J'ignore comment je dois réagir. Après un long blanc, je finis par lui demander :

– Tu t'es teint les cheveux en noir ?

– Pas encore.

– Je t'aime bien en blond. Enfin, les deux me vont.

– Ouais. Le blond me plaît aussi. On verra.

– Tu me manques trop.

– Toi aussi, tu me manques.

– J'aimerais passer la soirée avec toi.

– Moi aussi.

– Je n'arrête pas de penser à toi.

– Pareil.

– Je t'aime.

Il garde le silence quelques secondes, puis il souffle :

– Moi aussi, je t'aime, Maddie.

Comment enchaîner après ça ? Peut-être que la conversation devrait s'en tenir là. Ça devrait être suffisant.

Pourtant ça ne me suffit pas.

4

Pour mon dernier jour à Aspen, je prends une leçon de snowboard. Ensuite, je reste assise dans le bungalow en m'efforçant d'avoir l'air classe et sexy. À un moment, j'aperçois Chad et Peter. Ils arrivent vers moi en courant comme si j'étais leur meilleure amie. Je me sauve sur un prétexte bidon.

Le dimanche, à notre retour à la maison, on est tous cuits. Je vide ma valise, je fais tomber mes vêtements dans le toboggan à linge sale et j'étale mes devoirs par terre. Évidemment je n'ai toujours pas terminé *Sa Majesté des mouches*.

Ma mère toque à la porte de ma chambre.

– Maddie? me dit-elle sur un ton bizarre. Il y a un message pour toi sur le répondeur.

Qui a pu essayer de me joindre ici? J'essaie de réfléchir. Sûrement pas Stewart, il aurait appelé sur mon portable.

– Je crois que c'est important, ajoute maman.

J'enfile mon peignoir et j'ouvre. Ma mère a une drôle d'expression sur le visage. Je descends l'escalier et je trouve mon père debout dans l'entrée du salon, blême. Je rouspète en prenant le combiné :

– Oh, ne faites pas cette tête-là, tous les deux. On dirait que quelqu'un est mort.

Ma mère se détourne tandis que je colle le téléphone à mon oreille. À ma grande surprise, j'entends une voix d'adulte.

C'est la mère de Trish. Quelqu'un est mort. Trish est morte.

5

À cause d'un mec. Forcément.

Un criminel de vingt-huit ans du nom de Mark Hastings. Il a pris le métro avec deux amis vendredi soir pour aller se procurer de la drogue. C'est là qu'ils ont croisé Trish qui rentrait de son petit boulot à Don's Carpet.

Je vois très bien le tableau : Trish dans la rame, à peine sortie de son job ennuyeux chez le spécialiste des sols, s'apprête à passer la soirée à s'ennuyer chez elle. Un beau garçon fait son apparition comme par magie. Il est sûr de lui, cool, à l'opposé de la brochette de losers qu'elle a rencontrés en ligne. Il la baratine un peu, lui fait du charme. Elle s'emballe, comme toujours. Bien sûr, elle fera tout ce qu'il lui demande. Elle ira n'importe où. Elle l'aidera même à acheter de la drogue, s'il le faut.

Selon le rapport de police, Trish a suivi Hastings et ses potes à North Portland, où ils ont acheté pour environ cinq cents dollars de cocaïne et d'héroïne. Trish a volontairement contribué à cet achat en donnant quatre-vingts dollars de sa poche. Il faut croire que Mark Hastings lui plaisait beaucoup.

Une heure plus tard, ils ont pris une chambre à l'hôtel

Saturn situé à proximité. Le chauffage monté à fond, ils ont fait tourner des bières. Ensuite ils ont mis de la musique, **très** fort (il y a eu des plaintes), et ils ont commencé à danser en sous-vêtements. Après quoi ils ont consommé les drogues qu'ils venaient d'acheter.

À une heure du matin environ, Trish, qui était assise sur un lit avec Hastings, s'est sentie mal. Elle a tenté de passer pardessus son nouvel ami à quatre pattes pour se rendre dans la salle de bains («sans doute pour vomir», a précisé un des médecins qui l'ont examinée). Ce faisant, elle est tombée du lit, a atterri sur la face et s'est cassé le nez. C'est alors qu'elle a perdu conscience et, peut-être, subi un arrêt cardiaque.

Hastings ne s'en est rendu compte que plusieurs heures plus tard en trébuchant sur sa jambe. Il lui a parlé et s'est aperçu qu'elle avait cessé de respirer.

Ses copains et lui l'ont traînée dans la douche et l'ont arrosée d'eau froide. Cela ne l'a pas ranimée. Alors ils ont essayé un massage cardiaque, geste qu'aucun d'entre eux ne savait effectuer correctement.

Comme elle ne réagissait toujours pas, ils ont fui la scène. Ils ont prétendu plus tard avoir joint les secours, mais aucun appel n'a été enregistré. Ils ont sans doute eu peur d'être inculpés pour meurtre. Du coup ils n'ont rien fait. Ils sont rentrés chez eux, où on les a retrouvés et arrêtés.

Le lendemain après-midi, une femme de ménage a découvert Trish. Selon sa déposition, Trish était presque nue, avec la peau verdâtre, du sang séché et du vomi autour de la bouche et du nez. Elle a aussitôt appelé une ambulance et Patricia Carrie Morgan a été déclarée morte sur place à 14 h 12.

6

– Là, je suis dans le jardin derrière la maison.

– Viens, Stewart ! J'ai besoin de toi.

– Mais je me suis déjà organisé. Mon père m'attend.

– Dis-lui qu'il est arrivé quelque chose !

– Je ne peux pas repousser d'une semaine. Ma mère ne comprendrait pas. Son copain s'est déjà installé ici.

– Et moi dans tout ça ?

– Je suis désolé. Si je pouvais, je resterais, je te le jure.

Je n'en reviens pas. Je viens de passer l'après-midi chez Trish à parler à la police, à soutenir ses parents dévastés et à consoler sa petite sœur.

– Est-ce que tu peux au moins faire un saut ?

– Quand ?

– N'importe quand. Maintenant. Ce soir.

– Je dois emmener des affaires chez ma sœur et elle a besoin de sa voiture.

– Et après ?

– Comment tu veux que je vienne ?

– Prends un car ! Stewart, *ma meilleure amie vient de mourir* !

Je l'entends inspirer profondément au bout du fil.

– D'accord. J'arrive.

Je donne rendez-vous à Stewart à la gare routière. Mes parents n'aiment pas beaucoup ça. Ma mère propose de m'emmener et de revenir me chercher, mais je refuse : je prendrai le métro Express.

– Vas-y plutôt en voiture, me dit-elle.

– Je ne suis même pas assurée.

Il s'avère qu'en réalité, si, je suis assurée. Mes parents ont renouvelé le contrat depuis les vacances de printemps – parce qu'ils sont fiers de mes progrès, m'explique maman, et bien que ça leur coûte une fortune.

Ben ça alors.

– Tu es sérieuse ?

Elle est sérieuse. Mon père hoche la tête. Ils sont tous les deux sérieux.

Me voilà donc au volant d'une voiture – et rien moins qu'un break Volvo. Enfin une bonne nouvelle.

Le temps presse. Je fonce au centre-ville et j'attends Stewart à son arrêt de car. Lorsqu'il descend, je le serre dans mes bras pendant un long moment, puis je le libère et nous marchons ensemble vers le parking.

– D'où elle sort, cette caisse ? demande-t-il en voyant la Volvo.

– Elle appartient à mes parents.

– Sympa.

Il monte et commence à tripoter les boutons.

– Ce sont des sièges chauffants ?

– Mes parents ont de quoi se les payer, je marmonne.

Il commence à m'énerver. Non, en fait, j'étais déjà énervée. Maintenant c'est pire.

On va au Denny's et on s'installe dans un box. J'avais prévu de raconter des tas de choses à Stewart. Mais à présent, plus rien ne semble avoir d'importance. Sitôt que je suis assise, je ne pense plus qu'à Trish. Je fonds en larmes, impossible de me retenir. Stewart se penche pour me prendre la main. Il est complètement dépassé. Je le lis sur son visage. Il ne peut pas faire face. Il n'a jamais appris à consoler les autres.

– Je suis vraiment désolé, m'avoue-t-il plus tard, assis dans la Volvo sur le parking. Je me rends compte que je ne réagis pas comme je devrais.

Il me tient blottie contre lui pendant que je pleure. Il m'embrasse sur le front. Il me caresse les cheveux.

Je me sens mieux. C'est exactement ce dont j'avais besoin depuis le début. On échange quelques baisers, puis on s'enlace de nouveau.

– Je voudrais seulement que tu ailles bien, murmure-t-il.

Je n'ai plus aucune envie de rentrer. J'aimerais rester avec lui toute la nuit, toute la vie. J'aimerais qu'on habite ensemble, qu'on se marie.

C'est comme ça avec Stewart. Je l'aime toujours aussi fort, quoi qu'il arrive.

7

L'enterrement n'a lieu que le samedi suivant. La semaine va être très longue.

Mercredi, après le déjeuner, je suis en train de ranger des affaires dans mon casier lorsque je sens une présence derrière moi. Je me retourne et j'aperçois deux filles de quatorze ans. L'une des deux est jolie. Vraiment jolie. Et à en juger par sa façon de s'habiller, elle en est consciente.

Elles s'éloignent en marchant nonchalamment. Je me demande pourquoi elles me regardaient. Qui sont-elles, d'abord ? Après avoir avancé de quelques pas, la plus mignonne se tourne de nouveau vers moi. Nos yeux se croisent. Elle a une expression bizarre. Son visage reflète une sorte d'arrogance, un sentiment de supériorité, comme si ces couloirs lui appartenaient. Pourquoi elle vient me provoquer ?

Puis je réalise subitement à qui j'ai affaire : Ashley Brantley. La petite sœur d'Emily. La fêtarde.

Qu'est-ce qu'elle me veut ?

Jeudi après les cours, je prends la voiture de maman et je vais à Centralia dire au revoir à Stewart avant qu'il parte pour Redland.

Il m'ouvre la porte torse nu, une canette de Red Bull à la main. Ses cheveux sont teints en noir. Ils luisent au soleil. Il en est très fier.

Il insiste pour que je les touche. Je me plie à son désir et je les caresse. Ensuite il me prend par la taille, me soulève et m'emmène à l'intérieur. Je ne suis pas vraiment d'humeur à batifoler, mais je suis contente d'être là. J'apprécie de laisser mes soucis derrière moi l'espace d'un instant pour entrer dans le monde insouciant de Stewart.

Plus tard dans la soirée, je le conduis au Rite Aid. Il a besoin de s'acheter quelques affaires pour son voyage. On fait les andouilles dans le magasin. Je lui demande s'il se souvient de notre premier rendez-vous dans le Rite Aid de Carlton.

– Ah! Quelle nuit! me répond-il d'une voix qui sonne un peu faux.

Au moment où je m'apprête à retourner chez moi, il redevient sérieux. On discute dans l'allée, appuyés contre ma voiture. Il me confie les dernières nouvelles concernant son père à Redland. Celui-ci a une petite affaire. Il construit des porches et installe des jacuzzis. Il habite une espèce de cabane dans les montagnes qu'il a bâtie lui-même.

– Il a l'air génial, me dit Stewart. J'ai hâte de le voir.

Je hoche la tête avec un sourire encourageant. Je suis sincèrement heureuse pour lui.

– Alors tu vas rester là-bas combien de temps?

– Je ne sais pas trop.

– Mais... plutôt trois jours, une semaine ou... plus?

– Je ne sais pas, répète-t-il. Je crois que je ne peux plus vivre chez ma mère.

– Tu ne vas pas t'installer à Redland, quand même.

– Peut-être que si, murmure-t-il. Pendant un temps, du moins.

Je tombe des nues. J'ignorais qu'il avait ce projet dans un coin de sa tête.

– Et ensuite ?

– Je ne sais pas. Je verrai.

– Tu pourrais déménager là-bas ? Définitivement ?

– Il faut bien que j'habite quelque part.

Je le dévisage.

– C'est quoi le problème avec Portland ? Tu n'es pas forcé de loger chez ta mère. Tu pourrais te prendre un appart.

– Avec quel argent ?

– J'en sais rien. Trouve un job.

Il agite nerveusement les pieds.

– Écoute-toi. J'ai l'impression d'entendre une femme mariée.

Je le fixe sans ciller.

– Combien de temps, sérieusement ?

– Mon père m'a proposé de travailler avec lui. Dans ce cas, ce serait pour l'été.

– L'été ? *Tout* l'été ?

– Ben, oui...

– Mais est-ce que tu tiens un peu à moi, au moins ?

– N'importe quoi ! Bien sûr que oui. Même si notre relation n'a peut-être pas le même sens pour moi que pour toi.

– Comment ça ?

Il pivote face à moi.

– Je te trouve exigeante. Tu veux tout le temps que je t'appelle. Maintenant tu me demandes de signer pour un boulot. J'ai l'impression que tu aimerais que je corresponde plus à l'image du petit copain parfait que se font les filles du lycée.

– Pas du tout ! Je n'ai jamais dit ça.

– Si, c'est la vérité. Toutes les filles attendent la même chose.

– Non, tu te trompes. Moi, je veux juste qu'on soit ensemble. Et voir où ça nous mène...

– Ouais. Moi aussi.

Les larmes aux yeux, je me tourne vers la voiture de ma mère. Peu à peu je prends conscience de ce que cette conversation signifie.

– Tu disais que tu m'aimais...

– Mais je t'aime, marmonne Stewart. Ce n'est pas la question.

Les sanglots me nouent la gorge. Je suis en train de le perdre. Ici, maintenant. Je n'en reviens pas. J'ai perdu Trish et maintenant c'est au tour de Stewart.

Je sèche mes yeux. Stewart ne bouge pas. Il a l'air malheureux. Et déterminé aussi. Rien ne pourra le faire changer d'avis.

Il est tard. Il faut que je rentre chez moi. Je fais glisser la bague de sa grand-mère sur mon annulaire et je la lui tends.

– Qu'est-ce que tu fais ? me demande-t-il.

– Je te rends ta bague.

– Quoi ? Non. Elle est à toi !

– Non. Elle appartenait à ta grand-mère. Et si tu dois passer tout l'été à Redland, tu vas en avoir besoin plus que moi.

– J'insiste. Je te l'ai donnée. Je veux que tu la gardes. Je préfère savoir qu'elle est avec toi.

– Pas question.

Je marche jusqu'au perron et je la pose sur la balustrade.

Ensuite je me dirige vers ma voiture et j'ouvre la portière.

– Attends ! s'exclame-t-il en me retenant.

Il veut me parler mais les mots ne viennent pas. Une expression de grande frustration apparaît sur son visage. Je me suis peut-être montrée injuste. Je lui demande de faire des choses dont il n'est pas encore capable. J'ai du mal à l'accepter tel qu'il est : un garçon foufou, adorable et un peu toqué.

Pourquoi suis-je si dure avec lui ?

Je l'attire contre moi, je le serre dans mes bras et je l'embrasse.

Il n'empêche que je ne récupérerai pas la bague. J'espère qu'elle le protégera là-bas.

8

Martin m'accompagne à l'enterrement de Trish. Je passe le prendre chez lui. Comme une idiote, je me laisse convaincre de rentrer pour rencontrer ses parents. Ils sont très gentils. Mais j'aimerais que tout le monde garde bien à l'esprit que ceci n'est pas un rancard.

Martin porte un costume et une cravate. Moi, j'ai enfilé une robe bleu marine et le cardigan noir de ma mère.

On arrive au cimetière. Ne sachant pas où l'enterrement a lieu exactement, je cherche la foule. Je m'attends à croiser plein de gens de Spring Meadow – par exemple Cynthia, notre ancienne psy, Angela et quelques-unes des autres filles avec qui on a vécu.

J'imagine qu'Haley aura peut-être fait le déplacement aussi, malgré tout, avec son infirmière et sa famille. Ainsi que les ex-camarades de lycée de Trish. Plus ses cousins, ses parents et le reste de sa famille...

J'ai tout faux. Je m'en rends compte progressivement tandis que je roule en cercle autour du cimetière. Je finis par repérer le Cadillac Escalade noir sous un arbre, à côté de deux autres voitures.

Je me gare. Il y a six personnes autour de la tombe.

– C'est tout ? dit Martin.

Oh non...

Mais il est trop tard pour reculer. On doit y aller. Je verrouille les portières de la voiture et on traverse la pelouse humide.

L'assistance est composée de son père, sa mère, sa sœur, une dame plus âgée et deux hommes de l'entreprise de pompes funèbres. Il n'y a que deux jeunes de la génération de Trish : Martin et moi.

Je comprends alors une chose terrible : j'étais sa seule amie.

Notre petit groupe patiente près de la tombe. Je jette un coup d'œil à sa mère. Noyée dans son chagrin, elle ne voit rien, n'entend rien.

Enfin le prêtre arrive à pas lents.

Martin tousse en mettant son poing devant la bouche. Il se comporte de façon très cérémonieuse, le menton haut, les mains jointes devant lui. C'est presque ridicule. Je lui chuchote :

– Tu n'es pas obligé de faire ça.

– Quoi ?

– Te tenir bizarrement.

– Je ne me tiens pas bizarrement.

Le prêtre sort sa bible pour en lire un passage. Personne ne l'écoute.

Martin est encore au garde-à-vous. Je grommelle :

– Arrête ça.

– Mais quoi ? répond-il à voix basse, agacé.

Le prêtre dit quelques mots à propos de Trish. Il est clair

qu'il ne la connaissait pas. S'ensuit une minute de prière silencieuse.

Puis ils commencent à descendre le cercueil dans le sol.

La mère de Trish laisse échapper un cri poignant. Elle se jette maladroitement vers le cercueil, tombe à genoux dans l'herbe boueuse et rampe vers le trou. Les hommes se précipitent pour la relever. Ils l'attrapent sous les aisselles et la traînent en arrière. La petite sœur regarde dans le vague. Malgré moi, je lâche :

– Au revoir, Trish.

Alors elle tourne la tête dans ma direction, mais son visage ne trahit toujours aucune émotion.

Martin tousse de nouveau dans son poing pendant que je suis des yeux le cercueil qui disparaît dans la terre noire.

Les gens prétendent qu'on passe dans un monde meilleur après la mort. Qu'on est enfin en paix. Je n'y avais jamais cru jusqu'à maintenant. Mais dans le cas de Trish, c'est peut-être vrai.

Il n'y avait pas de place pour elle sur cette terre. Nulle part où elle se sente à son aise, détendue, en sécurité.

Je ne l'ai jamais connue heureuse. Ou ne serait-ce que décontractée. Pas un seul instant.

Au revoir, Trish.

9

À mon retour à la maison, mes parents sont aux aguets. Ils se demandent comment je tiens le coup. Je les rassure avant de monter dans ma chambre. Je n'ai qu'une envie : prendre un bain.

Dans la soirée, je m'assois à mon bureau et j'allume la radio. Je n'ai rien à faire. Stewart est à Redland. Trish est partie.

Enfin, si, j'ai des devoirs. Une tonne, même. Pourquoi ne pas m'avancer un peu ?

J'ouvre mon sac et je regarde à l'intérieur. Il y a un test d'histoire lundi. En temps normal, j'aurais survolé les révisions pendant une permanence et décroché une note passable.

Mais cette fois, je sors le livre et je cherche le bon chapitre. Je baisse le volume de la radio, je monte l'intensité du plafonnier et je lisse la page.

Si je lisais le chapitre en entier ? Si j'étudiais pour de vrai ? Que se passerait-il ?

Je me lance. Il s'avère que j'ai une bonne concentration. Mon cerveau semble soulagé de s'attarder sur un sujet de réflexion neutre.

Je déchiffre soigneusement chaque phrase en m'assurant de la comprendre en profondeur, avant d'enchaîner avec la suivante. Et je continue ainsi, de paragraphe en paragraphe.

À la fin, je prends un cahier et je note les grandes lignes. Ce n'est pas si compliqué, au bout du compte, à condition de s'appliquer un peu.

J'adopte la même méthode au chapitre suivant. À la dernière page, les auteurs récapitulent les trois points à retenir. Je les recopie. Ensuite je les répète à voix haute en suivant les lignes avec mon stylo et je les retourne dans ma tête jusqu'à ce que je sois sûre de savoir en quoi ils sont si importants.

Je poursuis en prenant consciencieusement des notes pendant presque deux heures – un record pour moi. Lorsque j'éteins enfin ma lampe de bureau, je me sens rincée. Mais aussi très satisfaite et fière de moi.

Lundi, je passe le test. Et je fais un carton.

10

D'habitude Martin déjeune avec moi. Cependant, lundi midi, deux jours après l'enterrement, je ne le vois pas à la cafétéria. Je le cherche du côté de son casier – il n'y est pas non plus.

Je finis par le croiser dans le passage couvert, en compagnie de quelques-uns de ses copains geeks.

J'essaie de me mêler à leur groupe mais ils m'ignorent. Je m'efforce d'attirer l'attention de Martin. En vain.

Je tire sur sa manche.

– Salut.

Il ne me répond même pas. Ses potes sont en train de parler de films de superhéros. Ils se posent des questions du genre : Iron Man pourrait-il défier Batman en combat singulier ? Pour qu'ils n'entendent pas, je chuchote :

– Euh, bonjour ? Martin ? Tu veux bien me dire ce qui se passe ?

– *Quoi* ? lâche-t-il sèchement.

Je recule d'un pas.

– C'est quoi, ton problème ?

– À ton avis ?

– Je... j'en sais rien. Tu es en colère contre moi?

Il s'écarte de ses amis et s'éloigne d'un pas lourd. Je le suis. Il continue d'avancer sans me regarder. Apparemment, il est très en colère contre moi. Martin Farris a *les nerfs*. La situation est grave.

– Martin? Qu'est-ce qu'il y a? Qu'est-ce que j'ai fait?

– Qu'est-ce que tu n'as pas fait? rétorque-t-il d'un ton amer.

– Là, il faut que tu m'expliques.

– J'aimerais juste que tu évites de me rappeler en permanence à quel point je suis un blaireau. Voilà. C'est tout.

– Quand est-ce que je t'ai traité de blaireau?

Il se tourne brusquement vers moi.

– Tu n'arrêtes pas. Tu ne peux pas t'empêcher de me critiquer. À l'enterrement, par exemple. Il a fallu que tu me reproches ma façon de me tenir. Franchement! De quel droit te mêles-tu de ça?

– Ta façon de te tenir? De quoi tu parles?

– Je vais à l'enterrement. J'enfile mon petit manteau, une cravate. J'essaie de me comporter convenablement. Tout ça pour te rendre service et à la fin, j'ai droit à quoi? À un merci? À un « c'est gentil de me soutenir »? Non. Il faut que tu trouves à redire sur ma *position*.

– Ah oui... C'est vrai, tu te tenais bizarrement. Ça faisait enfant de chœur.

– *Quoi?!* explose-t-il. Répète!

– J'ai dit : ça faisait...

– Je ressemble à un *enfant de chœur*?

Je recule, étonnée par la violence de sa réaction. Puis j'ajoute d'un air penaud :

– Ouais. J'ai trouvé ça curieux.

Martin est tellement furieux qu'il tremble de partout. Sa lèvre inférieure est agitée par un léger tressaillement.

– Alors voilà, Maddie. Stop. C'est terminé. Finis, les déjeuners. On n'ira plus nulle part ensemble. J'en ai marre de t'aider. Tu crains vraiment comme amie, tu savais ça? Tu es méchante, égoïste et... et ça suffit. Au revoir.

Je reste plantée là, stupéfaite. Je n'ai rien compris à ce qui vient de m'arriver. Je le regarde rejoindre sa bande de *no-life* sans bouger d'un pouce.

D'ailleurs je ne devrais sans doute pas les qualifier de « *no-life* ».

C'est sûrement de ça qu'il parle.

11

De deux amis, je suis passée à un seul, puis à zéro.

Me voici de retour à la case départ. Je m'isole à la bibliothèque pendant la pause déjeuner et je recommence à grignoter des mini-carottes devant mon casier.

Bien sûr, je repense souvent à ce que Martin m'a dit. Je me sens incapable de réagir, même si je comprends ses reproches. Peut-être qu'un jour je saurai présenter des excuses. Ou mieux encore : que j'arrêterai de me mettre dans le pétrin.

Mais ce jour-là n'est pas arrivé.

Emily Brantley recommence à me tourner autour, comme si elle voulait occuper le vide laissé par le départ de mes amis. Elle me dit bonjour deux fois – la première dans les toilettes, la deuxième dans le hall.

Un soir après les cours, alors que je traverse le parking, elle m'aperçoit et m'invite à la rejoindre. Elle est avec Amanda Davidson et Petra Brubaker, deux filles de première qui ont la cote.

Je suis un peu nerveuse, mais j'accepte. Je me dirige vers la voiture d'Amanda. Après une phase d'observation silencieuse,

Emily m'annonce qu'elles ont l'intention de se rendre à une fête organisée vendredi par des élèves du lycée privé Bradley. Elle me propose de venir.

J'hésite.

– Ne t'inquiète pas. On te protégera, dit-elle.

Amanda et Petra ne font aucun commentaire. À ce moment-là, Jake, Alex et Raj nous doublent dans la voiture de Raj. Ils s'arrêtent.

– Salut Maddie, lance Jake. Tu te cachais où ?

– Nulle part.

On bavarde tous ensemble une minute. Ils se racontent leurs sorties du week-end. Parlent des gens qu'ils ont croisés dans les fêtes. Apparemment, ils se sont bien amusés.

Et moi, pendant qu'ils rigolent, je songe à Trish en train de s'enfoncer dans le sol. À la terre qui la recouvre. Plus jamais elle n'entendra quelqu'un lui confier à quel point il s'est éclaté le samedi précédent.

Je l'envie presque.

Il me reste deux jours pour prendre une décision concernant la soirée des lycéens de Bradley. En attendant, j'ai plein de trucs à faire pour les cours. Bizarrement, je ressens le besoin de travailler.

C'est la fin du mois d'avril. Les vacances d'été approchent à grands pas, mais les dernières semaines comptent. Mes résultats n'étaient pas formidables au début du trimestre et j'ai envie de me rattraper. Peut-être que je peux arriver à remonter ma moyenne de deux ou trois points ?

Je ne sais pas trop d'où me vient ma motivation. J'imagine que ma nervosité me donne un surcroît d'énergie qu'il faut bien canaliser quelque part. Je ne peux pas rester les bras ballants.

Le temps ne se montre pas très coopératif. Le soleil brille toute la semaine. Il fait chaud et les élèves commencent à se pointer au lycée en short et T-shirt. Mes parents me demandent de venir jouer au tennis avec eux. D'après mon père, je dois me détendre et profiter un peu plus de la vie. Il veut aussi m'emmener faire du rafting en juin.

Mais ni les voyages ni le rafting ne m'intéressent. Je veux juste étudier. Rattraper mon retard. L'idée que mon dossier scolaire soit aussi minable me désespère.

Je me découvre un peu perfectionniste sur les bords – qui l'eût cru ?

12

Je suis en train de résoudre des problèmes de maths quand ma mère toque à la porte de ma chambre.

– Madeline, tu as de la visite. Il y a un jeune homme pour toi en bas.

– C'est Martin ? Tu peux lui dire...

– Non, ce n'est pas Martin.

Je reste figée l'espace d'une seconde. Puis je bondis de ma chaise, je cours à la fenêtre et je regarde dehors.

Une camionnette sale est garée dans notre allée.

Je fonce jusqu'à mon armoire, j'ôte mes tongs d'un coup de pied, je change de T-shirt et j'ébouriffe mes cheveux devant la glace.

Je manque d'écraser ma mère en remontant le couloir ventre à terre... puis je me ressaisis avant de descendre l'escalier.

C'est lui. Il est ici. Stewart est dans ma maison. Il discute avec mon père.

– Salut ! me dit-il lorsqu'il m'aperçoit.

Papa s'éloigne poliment.

– Salut ! Qu'est-ce que tu fais ici ?

– Je profite de ma journée de congé pour passer.

– Ta journée de congé?

– Oui, je travaille pour mon père maintenant.

Je le prends par le bras et je l'emmène dans le jardin. Tout bronzé, il porte un pantalon de travail plein de poches et un T-shirt. Il a l'air en bonne santé. En pleine forme, même.

– Comment tu m'as trouvée?

– Google Maps. (Il me décoche son fameux sourire à la Stewart.) Ça ne te dérange pas?

– Bien sûr que non.

Je lui serre la main.

– Si on allait faire un tour? propose-t-il.

– Oui!

On visite mon quartier dans sa camionnette. Je suis un peu embarrassée par l'étalage de luxe dans les rues mais il ne semble pas le remarquer. Il est absorbé par son récit.

– Donc je descends là-bas, je rencontre mon père et il a trop changé par rapport à mes souvenirs! Il est vraiment sympa. Du genre plutôt tranquille. Là, il m'annonce qu'il a décroché et qu'il n'a plus rien touché depuis quatre ans! Tu te rends compte?

– Ouaaah, Stewart, c'est génial!

– Carrément. Il est devenu maître charpentier. J'étais à peine arrivé qu'il me mettait au boulot. C'est l'homme le plus occupé de Redland!

Stewart n'est jamais apparu aussi excité.

– Si tu voyais la vie que je mène, tu n'en croirais pas tes yeux... On est debout à six heures du matin tous les jours... le soleil commence juste à se lever, l'herbe est couverte de rosée... on entend même le coq chanter... on va au travail... on construit des superbes porches, des escaliers, ou on installe des jacuzzis, en fonction de ce que les clients réclament... La nuit, je suis tellement fatigué qu'à la seconde où je pose la tête sur l'oreiller, je m'endors ! En un clin d'œil ! Ce n'est pas une vie saine, ça ?!

– Si, ça fait envie !

– Tu sais, je crois que tu devrais venir t'installer avec nous.

– J'adorerais.

– Alors fais-le ! Je suis sérieux. Rejoins-moi cet été. Ou n'importe quand. Je nous fabriquerai un lit. J'ai une cabane à côté du bungalow de mon père. Il y a un petit poêle à bois, un évier et tout.

– Sincèrement, j'adorerais. Mais je... je vais être obligée de m'inscrire aux cours d'été.

– Aux cours d'été ? Pour quoi faire ?

– Pour passer mon bac.

Il me regarde d'un drôle d'air.

– Maddie, on pourrait être ensemble ! Dormir côte à côte toutes les nuits. Tu pourrais nous aider à construire des porches. Sans problème. Tu peux planter des clous ?

– Je ne sais pas. Je n'ai jamais essayé.

– Franchement, Maddie, c'est le paradis là-bas. Je suis allé pêcher avec mon père. On est montés très haut dans la montagne, on a attrapé du poisson et on l'a fait cuire sur un petit feu. Juste à côté de la rivière. Et pendant tout ce temps-là, je me disais : si seulement Maddie était là ! Je t'imagine sans arrêt à côté de moi. J'ai envie de t'emmener visiter des jolis coins, de te montrer des trucs.

Son offre est vraiment alléchante. À l'entendre parler, c'est l'expérience du siècle. Mais je ne peux pas. Est-ce qu'il en a conscience ?

– Peut-être après les cours d'été? Je pourrais rester une semaine au mois d'août?

– Pourquoi tu ne partirais pas dès maintenant?

– Parce qu'il faut que je termine l'année scolaire. Je me suis loupée dans les grandes largeurs au début et j'essaie de réparer les dégâts.

– Mais si tu vivais à Redland, ça n'aurait aucune importance. Je croyais que c'était ce que tu voulais? Qu'on soit ensemble?

– Stewart, tu as pris la décision d'aller là-bas tout seul. Tu ne m'as pas demandé mon avis.

– Tu as rencontré quelqu'un d'autre?

– Non! Bien sûr que non. Je veux juste achever ce que j'ai commencé. Je suis toujours au lycée. Je n'ai même pas dix-huit ans.

Stewart détourne les yeux.

– Je pense à toi tout le temps.

– Je sais. Moi aussi. Seulement...

– Quoi?

J'inspire profondément et je me lance :

– Pour l'instant, je crois qu'on a tous les deux certaines choses à régler, chacun de notre côté.

Un long silence brise la conversation.

– Je suis désolé, dit-il. C'était débile de ma part de me figurer que tu pouvais quitter tes parents... ta jolie maison...

– Ce n'est pas la question. Je te répète que j'ai vraiment envie de bien faire au lycée. Je ne veux pas me retrouver coincée plus tard. J'aimerais pouvoir aller à la fac. Trouver du boulot quand je serai adulte.

– Dans ce cas, fais comme ça te chante.

– J'ai toujours envie de te voir. Tu me manques. Si je m'écoutais, je déménagerais à Redland ce soir. Je dois juste finir mon année scolaire d'abord.

Une heure plus tard, debout dans l'allée, je l'embrasse une dernière fois par la fenêtre de sa camionnette avant de reculer et de le regarder s'éloigner en marche arrière.

Sitôt qu'il est hors de vue, je retourne à l'intérieur. Mes parents m'attendent.

– Euh... c'était Stewart.

– Il a l'air gentil, dit poliment ma mère. Que voulait-il ? Prendre des nouvelles ?

– Il voulait que je déménage à Redland et que je m'installe avec lui dans une cabane sur la montagne.

Papa et maman me dévisagent avec une expression ahurie.

– Je sais. C'est ce que je lui ai répondu.

13

J'emprunte la Volvo de maman pour me rendre à la fête dont m'a parlé Emily, de façon à pouvoir fuir en cas de besoin. Je me gare derrière Emily dans la rue et on entre ensemble, Petra, Amanda, elle et moi.

Je n'étais pas allée à une vraie fête depuis ma cure à Spring Meadow.

Je ne suis pas déçue.

Il y a des garçons sexy partout. D'ailleurs, ce n'est pas compliqué, Bradley étant une prestigieuse école privée, *tous* les garçons sont sexy, en plus d'être bien habillés, intelligents et prêts à s'éclater.

La maison est grande, avec un immense salon en contrebas et des baies vitrées qui offrent une vue plongeante sur les beaux quartiers. Des enceintes diffusent de la musique, des bouteilles d'alcool hors de prix sont mises à la disposition des invités. Des joints circulent sur le perron.

Je suis les filles dans la cuisine. Nous sommes accueillies par un dénommé William, qui se trouve être l'hôte de la soirée. Il joue les séducteurs à fond.

– Bien, mesdemoiselles, que désirez-vous ?

– Un tequila sunrise, répond Petra.

– Un rhum-Coca pour moi, demande Amanda. Mais je vais le préparer moi-même.

– Non, je m'en charge. Vous êtes les invitées ici, proteste-t-il en lui arrachant la bouteille de rhum des doigts.

Pendant qu'il fait son numéro de barman, je me planque derrière Emily et je me verse un verre de jus d'orange avec quelques glaçons. J'évite de parler à William. En réalité, je n'adresse la parole à personne.

Emily et moi, on va sous le porche tandis que Petra et Amanda continuent de bavarder avec William. À peine a-t-on mis le pied dehors que deux types nous abordent.

Le plus direct commence à tchatcher Emily. L'autre reste muet. Comme il porte un T-shirt de l'université de Dartmouth, je lui dis :

– Tu connais quelqu'un à Dartmouth ?

– Non. (Il avale quelques gorgées de bière en reluquant mes seins.) Qu'est-ce que tu bois ?

– Du jus d'orange.

– Avec quoi ?

– Rien. Juste du jus d'orange.

– Tu n'as pas mis de vodka ?

– Non.

– Ah.

Il ne cache pas sa déception. Si je ne me soûle pas, comment pourra-t-il atteindre mon soutien-gorge ? Il aperçoit une connaissance, lui fait un signe de la main et s'éloigne.

Je me demande à quoi s'occupe Martin en ce moment. Il doit plancher sur des problèmes de calcul avancés dans son sous-sol. Eh bien, si je pouvais me téléporter chez lui à cet instant, je n'hésiterais pas une seconde.

Vers onze heures, de nouveaux invités débarquent. La fête devient encore plus folle. Ça danse dans le salon, ça s'isole dans les petites pièces, ça s'embrasse dans les recoins...

Être sobre au milieu de ce spectacle me procure des sensations très étranges. J'ai l'impression de suivre les événements à la télé. Et puis j'entends soudain un grand raffut près de la porte d'entrée. L'ambiance change brusquement. Quelqu'un d'important est arrivé. L'attention de tout le monde se concentre sur le vestibule. Deux filles entrent et traversent le salon avec plusieurs garçons accrochés à leurs basques. Celle qui marche devant cache son visage sous son chapeau dans une attitude de starlette. Je glisse à Emily :

– Ces deux-là font sensation.

– M'en parle pas, répond-elle en secouant la tête.

– C'est qui ?

– Devine. C'est ma sœur.

– *Elle*, ta sœur ?

– Ashley Brantley. En chair et en os.

L'apparition d'Ashley sera de courte durée. Elle se réfugie rapidement dans un sanctuaire privé inaccessible au commun des mortels. Les conversations continuent d'aller bon train pendant un moment et, enfin, la soirée reprend son cours normal. Je danse un peu avec Emily, mais je m'ennuie et je ne tarde pas à annoncer mon départ. Emily n'est pas d'accord. Elle tient à remettre la main sur les gars avec qui on a bavardé sous le porche. Elle prétend que je plaisais à celui qui avait le T-shirt de Dartmouth et elle aime bien son copain.

Alors je reste pour lui faire plaisir. On part à la recherche des garçons. N'arrivant pas à les dénicher en bas, on essaie l'étage.

En poussant la porte d'un petit bureau, on tombe par hasard sur Ashley, entourée de six autres gamins. Ils sont tranquillement en train de se passer un miroir de poche avec des lignes de cocaïne dessus. Notre intrusion ne les enchante pas.

– On vous a déjà dit de frapper avant d'entrer ? râle une fille.

– Ça va, intervient Ashley, assise au centre. C'est ma sœur.

Comme on est plantées sur le seuil, un garçon anxieux nous fait signe d'entrer et de fermer la porte.

J'ai beau savoir que c'est une mauvaise idée, je m'exécute et je m'assois avec Emily.

On ne se sent pas vraiment les bienvenues. Emily tente de discuter avec Jayna, une des amies de sa sœur. Mais celle-ci l'ignore complètement. D'ailleurs, personne n'écoute personne. Ils sont trop occupés à regarder une fille avec une épaisse couche de mascara sur les cils sniffer un rail. Il n'y a que la coke qui les intéresse.

Je connais ces situations-là par cœur. Je me suis retrouvée dans ce genre de pièce des tas de fois.

J'observe Ashley. Elle est si stone, si bourrée et shootée à la cocaïne qu'elle n'a plus que deux fentes brillantes à la place des yeux. Et pourtant, même là, on ne peut pas s'empêcher de la dévisager tellement elle est belle.

– Oh bordel, j'ai perdu ma bière ! dit-elle en gloussant, son chapeau incliné sur le côté.

Un garçon lui propose la sienne.

Je voudrais tant qu'Emily invente une excuse pour nous sortir d'ici. Malheureusement, elle est plus qu'éméchée, elle aussi. Et elle réclame de la cocaïne.

Je crois que l'heure est venue de rentrer chez moi. J'en suis même sûre.

Bien entendu, Ashley choisit ce moment-là pour s'écrier :

– Hé ! Tu es Maddie ! C'est toi qui es allée en cure de désintox !

Toutes les têtes pivotent vers moi. Je sens leurs regards me brûler la peau.

– Maddie est une légende, affirme Ashley au garçon assis près d'elle. Maddie le pit-bull ! Elle faisait tellement la fête qu'ils ont dû l'enfermer !

Je ne réagis pas.

– Sérieusement, c'était comment ? me demande Ashley en parlant bien fort.

– Pas très excitant.

– Allez, filez-lui la coke ! s'exclame un des garçons.

Les autres approuvent et me voilà avec un miroir de coke, une paille et une lame de rasoir sous le nez, le tout accompagné d'une bière bien fraîche.

Ah ! cette vision, cette odeur... Je crois que je vais m'évanouir. Je commence à planer rien qu'en contemplant ces lignes blanches.

Et je me réveille en sursaut.

– Euh, non merci.

Emily prend ma défense et me débarrasse du miroir.

– Ce soir, elle a décidé d'être sage, décrète-t-elle.

– Elle a pris sa retraite ! plaisante Ashley. La légende a pris sa retraite !

Tout le monde éclate de rire. Emily positionne la paille dans sa narine et se penche au-dessus de la petite glace. Deux lignes blanches disparaissent comme par enchantement. Elle rejette la tête en arrière en se pinçant les narines. Son voisin attrape le matériel et se fait deux rails à son tour. Il y a beaucoup de coke. Il y en a pour mille dollars, au moins.

Il faut que je me tire d'ici. Vite.

Je prétexte un besoin urgent d'aller aux toilettes. Je me lève, je passe par-dessus Emily et je fonce vers la porte.

14

J'étais contente de moi. Je pensais que je me débrouillais pas mal, que j'arrivais à contrôler mes pulsions. Mais dès que je franchis le seuil de cette pièce, mon corps tout entier se met à trembler. Je peux à peine respirer. J'ai l'impression de faire une crise cardiaque.

Le couloir est bondé. Je cherche un coin à l'abri des regards. Je trouve une petite salle de bains au bout de l'étage. Je m'enferme dedans et je m'effondre sur la lunette des toilettes.

Le front posé sur les genoux, je fixe le sol en respirant profondément.

La meilleure chose à faire est d'appeler à l'aide.

Je prends mon portable en réfléchissant. Qui joindre ? Cynthia, mon ancienne psy ?

Dommage, j'ai effacé son numéro. Alors qui d'autre ? Je parcours le répertoire. La mère de Stewart... Trish... Emily... Martin...

Je téléphone à Martin. Comme il ne répond pas, je lui envoie un texto : « JE SAIS QUE TU ES FÂCHÉ. ET JE SUIS VRAIMENT DÉSOLÉE. J'AI BESOIN DE TON AIDE. RAPPELLE STP. »

Je range mon portable. La tête baissée et les paupières closes, j'essaie de ne pas paniquer.

Après quelques minutes, je retrouve mon calme et je me dis : *Maddie, tu peux y arriver toute seule!* Je me relève. Bien droite, j'ouvre la porte et j'entame la traversée périlleuse de la maison.

C'est moins difficile que ce que je croyais, finalement. J'esquive les invités dans le couloir, j'en enjambe d'autres dans l'escalier. En sortant, je salue même Amanda Davidson qui se fait tripoter sur le perron.

– Tu pars déjà ? me demande-t-elle en repoussant les mains du garçon qui s'aventurent un peu trop haut.

– Ouaip.

Quatrième partie

1

Le 21 mai, mon père et moi avons rendez-vous dans le bureau du proviseur Brown après les cours, pour discuter des cours d'été et dresser un premier bilan.

M. Brown a un ventre tout rond, un crâne déplumé et des poils qui lui sortent des oreilles. Il paraît gêné et légèrement agacé de me voir. Son comportement vis-à-vis de moi est injuste. Je suis une élève modèle depuis deux mois. J'imagine qu'il se rappelle mieux les deux années précédentes.

Mais nous sommes tous là avec le même objectif : trouver une solution pour que Maddie Graham décroche son bac et ne remette plus jamais les pieds au lycée Evergreen.

M. Brown s'assoit face à son ordinateur et consulte mon dossier.

– J'ai l'impression que tout va bien pour toi, Maddie. Pas d'absentéisme. Tu as encore un peu de retard dans certaines matières mais tes notes sont... hé... regardez-moi ça ! Une moyenne de 16 ce trimestre ! Bravo, Maddie. C'est excellent.

Je souris. Mon père me tapote la main.

– Je suppose que tu veux passer le bac ? Il n'est plus question de t'inscrire en candidate libre ?

Je hoche la tête.

– Bien, dit-il en faisant défiler son document. Je crois que tu pourras passer les épreuves avec le reste de ta classe à condition de rattraper ton retard dans quelques matières cet été.

– C'est justement ce que je comptais faire.

– Nous serions ravis que Maddie passe le bac avec ses camarades, ajoute mon père.

M. Brown déniche des catalogues de cours d'été dans le tiroir de son bureau et nous les tend.

– Si elle est prête à travailler, il ne devrait pas y avoir de problème.

J'affirme sans hésitation :

– Je suis prête. Archiprête.

Je feuillette les catalogues avec papa pendant que M. Brown récapitule mes obligations. Et mes options – apparemment, je n'en ai pas cinquante.

Pour finir, il nous demande si on a des questions.

– Je ne pense pas, répond mon père.

– Bien, conclut le proviseur en éteignant son ordinateur.

Il me reste toutefois un point à éclaircir.

– Je peux dire un truc?

– Je t'en prie.

Je regarde M. Brown, puis papa.

– J'aimerais aller dans une bonne université.

M. Brown sourit poliment.

– Écoute, Madeline...

– Je sais, monsieur Brown, j'ai fait beaucoup de bêtises. Mais je suis sérieuse. Je vais finir avec 16 de moyenne ce trimestre et je vais bosser comme une folle cet été. Je voudrais que vous m'aidiez à intégrer une bonne fac.

Mon père me dévisage d'un air surpris, tandis que M. Brown fronce les sourcils.

– Malheureusement, vu ton parcours, les possibilités seront plus limitées pour toi que pour d'autres élèves.

– Je comprends. Je me doute que je n'irai pas à Harvard. Mais je peux quand même postuler quelque part, non ? Pourquoi pas sur la côte Est ? Vous allez m'aider ?

Mon père me considère avec attention.

– Bien sûr, ma chérie. Bien sûr que nous t'aiderons...

– Vous pouvez leur parler, n'est-ce pas, monsieur Brown ? Leur assurer que j'ai changé. Leur raconter toute mon histoire.

– Eh bien, oui, mais seulement si...

– Si je donne satisfaction. Je vous le promets. Vous avez vu mes dernières notes. Je vous jure que j'obtiendrai les mêmes aux cours d'été, et l'an prochain aussi.

– Évidemment, ce serait un bon point pour toi... continue prudemment M. Brown.

– Alors on est d'accord ? À partir de maintenant, je m'engage à avoir au moins 16 partout. Et vous m'envoyez dans la meilleure université que vous pourrez me trouver. Marché conclu ?

M. Brown me fixe sans un mot.

– Marché conclu ? je répète en lui tendant la main.

Il me la serre avec réticence.

– Marché conclu.

2

L'année scolaire touche à sa fin. Stewart ne m'appelle pas. Une semaine passe. Je ne reçois toujours pas de nouvelles.

Après m'avoir demandé d'abandonner mon avenir pour emménager dans une cabane en forêt avec lui, il n'a pas la force de me *téléphoner*? La vie est étrange. Et pourtant, en général, les situations finissent par prendre plus ou moins le tour qu'on attendait.

Le 14 juin, j'emprunte la voiture de ma mère pour aller au centre universitaire de Portland. C'est le premier jour des cours d'été. Je gare le break sur un parking tellement immense qu'on se croirait dans un centre commercial, et je me dirige vers le bureau des inscriptions situé dans le bâtiment 2C.

Le campus regroupe un ensemble d'édifices cubiques en ciment gris. Ma première leçon (un cours d'anglais) a lieu dans le bâtiment 3A. Je découvre une salle de classe ordinaire, avec des murs nus, des tables en plastique et des néons fluorescents. Je m'assois devant. La plupart des autres élèves sont plus vieux et viennent de l'étranger. Je ne vois que deux lycéennes de mon âge avec des looks de rock stars. À en juger par leur odeur, je jurerais qu'elles viennent de fumer un bang sur le parking.

Je note que *Sa Majesté des mouches* est au programme, ce qui m'arrange puisque je viens de le lire. Je jette un œil aux rockeuses derrière moi. L'une d'elles a déjà perdu sa bibliographie, alors que le prof nous l'a distribuée il y a deux minutes.

À la fin de l'heure, je file à une séance de rattrapage en histoire des États-Unis. L'ambiance est identique : une salle terne, un prof qui s'ennuie, des élèves qui maîtrisent mal la langue anglaise ou puent le shit, entre autres obstacles à leur réussite dans la vie.

À midi, je vais au self du bâtiment 2B. De tous les cubes en béton, c'est le plus sympa. L'endroit est propre. Il y a de grandes tables. Le repas est correct.

Autre point positif : on ne ressent pas de pression sociale. Chacun est libre de rester dans son coin, à l'écart. Personne ne s'adresse la parole.

Ça me convient. Je crois que je pourrai supporter cette existence-là pendant huit semaines. Mais ma place n'est pas ici. Je dois aller dans une vraie fac.

Et c'est bien ce que je compte faire.

3

Pour obtenir les meilleurs résultats possible, je m'installe un bureau au sous-sol, loin du soleil, de la pelouse fraîchement tondue et des cris des petits voisins qui jouent au basket dehors. Je travaille deux heures tous les soirs, quoi qu'il arrive. Mes parents me croient devenue folle.

Un jour, après mes devoirs, je tente de rappeler Martin. J'ai déjà essayé à deux reprises, mais il continue de m'ignorer.

Cette fois, je téléphone sur le fixe de ses parents et je tombe sur sa mère. Elle se souvient de notre rencontre, le samedi où on a enterré Trish.

Martin est bien forcé de prendre l'appel. Il me répond sur un ton agacé, comme si je le dérangeais. Je lui propose d'aller au centre commercial mater un film.

– Je croyais que tu n'aimais pas le cinéma.

– Si tu préfères, on peut se balader en voiture.

Il pousse un gros soupir, histoire de me faire sentir à quel point cette perspective l'assomme. Mais à mon avis, il n'a rien prévu de plus intéressant. En tout cas, il accepte de passer.

Je l'attends dans le jardin. Bien qu'il arrive avec vingt minutes de retard, je ne proteste pas. Je suis contente de le voir. Je trouve sa compagnie relaxante, même si mon côté Madame Je-sais-tout finit toujours par ressortir en sa présence. Je dois me mordre les lèvres pour ne pas prononcer le mot « loser » en boucle.

Après une promenade en voiture, on atterrit à la patinoire du centre commercial. Je suis un peu moins ridicule avec des patins aux pieds que la fois précédente. Je parviens maintenant à avancer de quelques mètres et à tourner. À un moment, je réalise presque un cercle complet en chancelant comme une vieille dame, avant de m'écraser contre la rambarde.

Je m'apprête à entamer un second tour de piste lorsque Martin reçoit un appel sur son portable. Il se dépêche de quitter la glace et se précipite vers un banc pour décrocher.

Je me demande qui ça peut être.

Je lui pose la question plus tard, pendant qu'il me ramène à la maison.

– Personne, ment-il.

– Ça m'étonnerait. Je ne t'ai jamais vu courir aussi vite.

– Elle s'appelle Grace.

– C'est une fille ?

– Oui. Et j'apprécierais que tu m'épargnes tes commentaires ironiques.

– D'accord, d'accord. Tu l'as rencontrée où ?

– Je n'ai pas du tout envie d'en parler avec toi.

– Martin, je suis une fille moi aussi. J'aime bien discuter de ce genre de choses.

– Au cours d'un débat. Voilà. On s'est rencontrés au club de débat.

– Oh là là... ! Elle t'a cloué le bec et maintenant, tu es fou amoureux d'elle.

– Pour ton information, je n'ai pas perdu le moindre débat en deux ans.

– Tu es si intelligent.

Il secoue la tête et abaisse sa vitre en appuyant sur un bouton. Le vent emplit l'habitable.

– Alors, elle ressemble à quoi?

– À une fille.

– Et sa personnalité?

Il soupire.

– Et si on changeait de sujet?

– Elle s'habille comment?

– Comme une fille.

– Allez, des détails...

– Maddie, je ne te dirai rien. Tu veux bien arrêter d'insister?

– OK, ça va, j'ai compris.

Quatre jours plus tard, je tiens ma revanche.

Je suis en train de manger du pop-corn devant la télé avec papa – on regarde le *Saturday Night Live*, c'est l'heure des Laser Cats – quand Martin me téléphone. En voyant son nom apparaître sur l'écran, je décroche. Il est tout essoufflé.

– Maddie, me dit-il d'un ton nerveux. C'est moi, Martin. Il faut que je te demande un truc.

– Ouais? Quoi?

– Euh... bon... tu me promets de ne pas rigoler?

– Promis, je lui réponds en léchant le sucre sur mes doigts.

– Juré?

– Oui.

– Tu ne te foutras pas de moi, hein?

– De quoi s'agit-il, Martin?

– Ben... le truc, c'est que... je suis avec Grace. Au centre commercial.

– Et?

– On a... un rancard, tu vois?

– Ouais.

– Et... voilà. Je voudrais l'embrasser.

– Tu quoi?

– *Je veux l'embrasser.* Mais je ne sais pas comment m'y prendre.

– Tu es sérieux?

– Oui, je suis sérieux, siffle-t-il. Qu'est-ce que je dois faire?

– Tu te penches vers elle et tu y vas.

– C'est tout?

– Ben oui. Et tu la prends dans tes bras.

– Rien d'autre?

– Sois romantique. Ne te presse pas.

– Oh merde... Je n'ai encore jamais embrassé une fille.

– Tu as quel âge, déjà?

– Ne commence pas, Maddie. Aide-moi, pour une fois.

– D'accord, d'accord.

J'entends la musique du centre commercial en fond sonore. Je l'écoute tranquillement pendant que Martin réfléchit.

– Qu'est-ce que je lui dis? Je lui demande si elle veut?

– Non. Surtout pas.

– Et mon haleine?

– Il n'y a aucun problème avec ton haleine. Pas la peine d'acheter des pastilles à la menthe. Ça fait naze.

– J'attends de la reconduire chez elle, à ton avis?

– Non. C'est maladroit d'attendre le dernier moment. Tous les garçons essaient d'embrasser les filles quand ils les déposent chez elles.

– Ah bon. D'accord.

– Comporte-toi normalement. Sois décontracté et laisse venir. Observe-la, elle va t'envoyer des signes. Si elle te prend le bras, qu'elle te touche ou qu'elle se serre contre toi, tu fonces.

– OK. Ouais. Carrément.

– Et... Martin ?

– Oui ?

– Tu es mignon. Alors t'inquiète pas. Elle a envie de sortir avec toi.

– Ah ? Tu le penses sincèrement ?

– Oui. Tu as tellement pris confiance en toi ces derniers temps.

– Vraiment ?

– Ouais.

– À quoi tu vois ça ?

– Je ne sais pas. Ça se sent. Tu fais plus mûr.

– Ouahh, murmure-t-il, stupéfait, avant de se reprendre : Bon. Cool. Allez, j'y vais. Je me lance.

– Bonne chance.

– Merci, Maddie.

4

À la mi-juillet, les deux punkettes de mon cours d'anglais, Allison et Veronica, m'abordent à l'intérieur du self.

– On peut s'asseoir avec toi ? propose Allison.

– On commence à en avoir marre d'être que toutes les deux, ajoute Veronica.

– Bien sûr, je leur réponds.

Elles se laissent tomber sur des chaises face à moi. Allison sale sa salade tandis que Veronica noie son énorme assiette de frites sous du ketchup en soupirant :

– J'en peux plus des cours d'été.

– Comment tu supportes de rester assise devant ? me demande Allison.

Je hausse les épaules.

– En tout cas, tu es super intelligente, affirme Veronica, qui porte un pull noir à capuche avec des millions de minuscules crânes imprimés dessus.

– Ouais, tu connais toutes les réponses, acquiesce Allison.

J'explique ma situation :

– J'ai loupé une partie de l'année scolaire, alors j'essaie de me rattraper.

– Moi, les révisions, c'est pas mon truc, déclare Allison en mâchant sa salade. Je déteste les devoirs. D'ailleurs, je n'ai jamais pigé pourquoi on ne pouvait pas les faire en classe.

– Je hais les livres, renchérit Veronica. En plus, j'ai un problème avec la lecture. Ils ont fini par s'en rendre compte. J'ai un trouble des apprentissages.

– Tu arrives quand même à lire un peu, dit sa copine.

– Oui, les pancartes, par exemple.

– Et *Us Weekly*.

Entre deux phrases, elles mastiquent bruyamment leur repas.

– Parle-nous un peu de toi, continue Allison.

– Ouais, on se demandait... fait l'autre.

– Tu as un copain?

– C'est quoi, ta situation – côté mecs?

Elles me dévisagent, impatientes d'obtenir une réponse à cette question essentielle.

– Eh bien... je ne sais pas si je peux le qualifier de «petit ami», mais oui, j'ai quelqu'un. On a plutôt une relation longue distance en ce moment.

– Oh, dommage, dit Allison. Ce genre de relation, ça ne marche jamais.

– Ils finissent toujours par te tromper, assure Veronica. Moi, c'est ce qui m'est arrivé.

– Il est où?

– À Redland, je réponds.

– C'est où, ça?

– Plus au sud, près de la Californie.

– Pas cool, marmonne Allison. Les Californiennes vont te le piquer.

– Elles ont toutes des faux seins, enchaîne Veronica.

208

– Les garçons aiment ça. Ils prétendent que non, mais si. Plus ils sont gros, plus ça leur plaît.

– Je connais une fille qui s'en est fait poser des énormes. Ses parents lui ont offert l'opération pour son anniversaire.

– C'est trop flippant. T'imagines ? Te faire acheter des seins par ton *père* ?

Elles se taisent une minute pour pouvoir manger. Puis Allison reprend l'interrogatoire :

– Tu vas l'épouser ?

– Je ne pense pas. Je n'ai que dix-sept ans.

– D'accord, mais il ne faut pas attendre d'être trop vieille. Après, les meilleurs mecs ne sont plus dispos. Autant en choper un bien tant que tu peux.

– Tu pourrais peut-être tomber enceinte, suggère Veronica.

Je les fixe, chacune leur tour.

– Ouais, peut-être...

– J'ai entendu un truc, l'autre jour, chez Oprah, poursuit Allison. Les garçons, c'est comme les bus. Pourquoi te jeter sur le premier quand un deuxième arrive juste derrière ? Tu me suis ? Ou... attends, non... c'est le contraire.

On hoche la tête pour saluer la sagesse d'Oprah.

Elles avalent leurs frites pendant que je termine mon yaourt, puis elles s'excusent : elles doivent sortir fumer avant que les cours reprennent.

Je leur dis au revoir et je les regarde partir.

C'est sûr : il faut absolument que je me trouve une bonne fac.

5

J'ai passé avec brio ma première série d'épreuves au centre universitaire. En allant dans la salle d'informatique du bâtiment 3F, je découvre que j'ai obtenu la note maximale dans toutes les matières. Un carton.

Soulagée, je sors sous le soleil brûlant et je prends une grande bouffée d'air.

Ensuite j'appelle Martin et j'insiste pour qu'il fête l'événement avec moi. Je veux qu'il m'emmène manger une glace, au minimum, mais il ne peut pas. Il va au cinéma avec Grace. Il m'invite à les accompagner si je veux.

Bien que ce ne soit sans doute pas une idée géniale, j'accepte. Il faut que je me montre sociable pour une fois.

Martin vient me chercher à la maison. Il me présente Grace, qui est assise à l'avant. Je la reconnais, je l'ai déjà vue au lycée. C'est une de ces filles un peu prétentieuses, genre premières de la classe, à qui je n'aurais jamais imaginé adresser la parole. Sinon, elle est plutôt mignonne. Chapeau, Martin. Elle est même très mignonne.

Grace ne prononce pas un mot au cours du trajet. Martin non plus. Alors je me charge de la conversation. Je leur raconte mon déjeuner avec Allison et Veronica au centre universitaire.

– J'ai peur qu'elles n'aient pas reçu la meilleure éducation qui soit, commente Grace.

C'est une façon polie de formuler les choses.

J'ai envie de balancer un truc méchant, sarcastique et spirituel mais par égard pour Martin, je me tais.

Grace. Ben dis donc.

On prend des places pour aller voir *Free Fall* – une histoire de rédacteurs de magazine à New York qui couchent ensemble, tombent amoureux et dînent dans des restos chic.

Les personnages n'arrêtent pas de parler d'eux. Au début, je ne peux pas m'empêcher de penser que, si c'est pour devenir comme ça, je ferais peut-être mieux de ne pas aller à l'université.

Mais au fond, ce n'est qu'un film.

En sortant du cinéma, on va manger une glace. Grace nous parle du milieu de la presse. Il se trouve qu'une amie de sa mère travaille justement pour un magazine à New York.

– C'est beaucoup plus glamour dans les films que dans la réalité, affirme-t-elle. Mon père est ophtalmo et, croyez-moi, son quotidien ne ressemble pas du tout à *Grey's Anatomy*.

Martin s'extasie sur tout ce que dit sa chérie. Pas moi. Je suis contente pour lui cependant.

À la fin de la soirée, ils me déposent chez moi en premier avant de filer s'embrasser ailleurs. Martin m'a confié qu'ils n'arrêtaient pas de se peloter, et que Grace voulait « faire des expériences », en matière de câlins.

C'est sans doute à ça qu'ils se consacrent après m'avoir ramenée. À des *expériences*.

6

L'été se poursuit. Un jour, j'entre dans le bureau d'orientation du centre universitaire pour regarder les brochures des facs. Il y a une boîte remplie de dépliants sur les universités de la côte Est, en bas d'un présentoir.

Je les feuillette. Ils font vraiment envie. Les écoles portent des noms tellement illustres. Smith. Swarthmore. Wellesley. Haverford. Je connais Smith parce que Sylvia Plath y est allée ; elle le raconte dans *La Cloche de détresse*, le roman que tout le monde lisait en cure.

J'en emporte plusieurs à la maison et je les étudie avec maman. D'après elle, je n'ai aucune chance d'être acceptée dans une université « prestigieuse ». Qu'en sait-elle ? Elle a suivi les cours de l'université du sud de l'Oregon, où on apprend aux étudiants quel type d'engrais utiliser dans un champ de luzerne. Mon père, en revanche, est allé au MIT. Il est à la fois surpris et excité en voyant les papiers sur la table. Apparemment, il est sorti avec une fille de Smith dans le temps. Si j'en crois la lueur dans ses yeux, elle lui a laissé de bons souvenirs.

À part ça, rien d'exceptionnel à signaler. Stewart finit par m'appeler. Deux fois. Il veut que je le rejoigne dès que les cours d'été se termineront.

Mais on a à peine commencé à échafauder un plan pour se voir qu'il disparaît de nouveau. Après être restée sans nouvelles pendant une semaine, j'essaie de le contacter à différents numéros, y compris celui de sa sœur, qui a atterri je ne sais comment dans mon répertoire. Elle est contente de m'entendre. Stewart lui a dit beaucoup de bien de moi, à ce qu'elle prétend. Quant à son frère, elle n'a pas plus d'infos que moi : il vit dans une cabane derrière la maison de leur père, lequel n'a pas de ligne fixe.

Je ne suis ni en colère ni déçue. Je voudrais seulement lui parler. Il me manque.

Je téléphone à Emily Brantley. Elle semble ravie de m'avoir au bout du fil. Elle est en train de bronzer sur un voilier dans les îles San Juan. Toute sa famille est là-bas pour deux semaines. Sa sœur, Ashley, a déjà provoqué un gros scandale. Elle s'est fait pincer en train de batifoler avec un matelot de trente ans. Emily promet de me rappeler dès son retour et de me raconter tous les détails gore.

Alors je retourne à ma nouvelle activité de prédilection : je révise. J'entame aussi la lecture d'un livre consacré à Sylvia Plath et à son mariage avec Ted Hughes, un Britannique complètement cinglé et cruel avec elle. Tous les après-midi, en sortant de cours, je me rends à un salon de thé végétarien et je m'installe dans le patio pour bouquiner. Le soir, je me promène au volant de la Volvo de maman en écoutant les émissions de courrier du cœur à la radio.

Un jour, je m'arrête en ville pour boire un café frappé au

Metro Café. J'aperçois les zonards qui traînent. Jeff Shit est là. Ainsi que Bad Samantha. Il y a aussi une poignée de nouveaux venus que je ne connais pas.

Je ne pourrais plus traîner avec cette bande-là maintenant. Déjà, je m'habille trop normalement. Et puis qu'est-ce que je trouverais à leur dire ?

J'espère que je ne suis pas en train de devenir chiante. « J'ai l'impression d'entendre une femme mariée », m'a reproché Stewart. Et il le pensait.

7

Le dimanche qui précède les derniers examens, je me lance dans une révision complète de toutes les matières. Dès que j'ai fini, mon téléphone sonne.

En soi, cela n'a rien d'anormal : ma vie sociale s'est résumée à des coups de fil cet été. Ce qui est plus étrange, c'est qu'on cherche à me joindre à cet instant précis. Mes amis savent que je passe des épreuves le lendemain.

Je décroche. C'est Stewart. Évidemment, il faut qu'il appelle *maintenant*. Mais peu importe, je n'ai pas l'intention de m'énerver. D'un ton calme, je lui dis :

– Salut.

– Salut.

– Ça fait un bail.

– Désolé. J'ai été... occupé.

Je ne commente pas. Je me contente de griffonner dans la marge de mon livre de biologie.

– Tu as terminé tes cours d'été ? me demande-t-il d'une drôle de voix, comme s'il venait de se réveiller.

– Presque.

– Tu viendras me voir après ?

– Je ne sais pas si c'est une bonne idée, vu ta tendance à disparaître.

– J'ai besoin de toi.

– Besoin de moi pour quoi ?

– Ben... j'ai besoin de toi, c'est tout.

Il est bizarre. Il ne se comporte pas comme d'habitude. Tout en continuant de gribouiller, je l'interroge :

– Comment va ton père ?

– Ça va.

– Tu continues de construire des porches ?

– Non, pas en ce moment.

– Comment ça se fait ?

– On a eu... un différend.

– À propos de quoi ?

– De plusieurs trucs... Maddie, il faut que je te dise...

– Quoi ?

– En fait, je ne vais pas très bien.

– Comment ça ?

– Je suis un peu bourré.

– Là ? Maintenant ?

– Ouais.

Il me prend au dépourvu. Je me creuse la cervelle pour trouver une question pertinente.

– Bourré ? Genre, tu as trop bu ?

– Ben ouais.

J'arrête de jouer avec mon crayon.

– Tu es où ?

– Euh... devant un bar. J'ai rencontré des gens et puis... les choses se sont enchaînées.

– Oh, Stewart !

– Je... je suis tellement fatigué. Tu vois, on fait la fête depuis... à peu près... quatre jours non-stop.

– Mais comment tu as pu en arriver là?

– J'en sais rien. Ça s'est fait comme ça.

Que dire? Il se met à pleurer. Je l'entends sangloter au bout du fil.

– Maddie?

– Oui?

– Aide-moi. Je ne sais pas quoi faire.

Moi non plus. Mon cerveau est en ébullition. Je considère toutes les options.

– OK. Stewart... écoute-moi. Explique-moi exactement où tu es...

8

– Papa ? Je peux te parler ?

Mon père est dans son bureau. Il travaille sur son ordinateur.

– Bien sûr, chérie. Prête pour les exams ?

Je hoche la tête en essayant de sourire.

– Et comment !

Surpris par le ton de ma voix, il lève les yeux vers moi et lit l'angoisse sur mes traits.

– Entre, Maddie. Qu'y a-t-il ?

Je m'assois sur une chaise face à lui. Je réfléchis un instant avant de reprendre la parole.

– Tu te rappelles ce garçon, Stewart, qui est venu ici ?

– Oui, très bien.

J'inspire à fond.

– Qu'est-ce qu'il a ? demande papa. Où est-il ?

– À Redland.

– Que fait-il là-bas ?

– Il est parti vivre avec son père. Jusque-là, tout avait l'air de bien se passer pour lui. Mais... plus maintenant.

Papa m'observe, calé dans son gros fauteuil en cuir. Je continue :

– Il a des ennuis. Et il a besoin de mon aide. Je dois aller le chercher.

– Quand ?

– Là. Ce soir.

– Mais tu as tes épreuves demain.

– Je sais.

– Tu vas les reporter ?

– Je ne pense pas qu'on ait le droit. En partant tout de suite, je peux être de retour demain matin. Il y a environ deux heures de trajet.

– Chérie, tu ne peux pas aller à Redland en voiture au milieu de la nuit. Il faut que tu dormes. On ne passe pas un exam sans avoir dormi.

– Je crois que je peux réussir.

– Tu es vraiment obligée ? Et ton accord avec M. Brown ?

– Je sais. Je sais.

Il étudie mon visage.

– Tu es sûre de m'avoir tout dit ? Ce Stewart – tu es amoureuse de lui ?

J'évite son regard.

– Oui. Du moins, je l'étais. Enfin... je ne sais plus trop. Papa, je n'ai pas toujours été une super amie pour les autres et...

– Madeline, tu n'es absolument pas responsable de ce qui est arrivé à Trish.

– Si Stewart avait un accident, et que je n'avais pas fait *tout* mon possible pour l'aider, je ne me le pardonnerais jamais. Jamais !

Il me dévisage avec gravité.

– Maddie, je comprends. Cependant, pose-toi cette question :

est-ce que ça vaut vraiment le coup ? Est-il le genre de personne que tu veux dans ta vie maintenant ?

– Je sais, papa, mais il a besoin d'aide. Je peux faire quelque chose.

Mon père soupire.

– Chérie, je ne peux pas te laisser partir comme ça.

– Papa, tu ne peux pas m'en empêcher.

Il m'examine une minute, puis secoue la tête.

– Non. J'imagine que non.

9

Je passe la quatrième et je m'engage sur l'autoroute à cent trente au volant de la nouvelle BMW de mon père. Je conduis à la même vitesse sur tout le trajet. J'ai gagné une demi-heure sur le temps annoncé lorsque je sors à la pancarte Redland. Il est minuit quinze. Le GPS me fait descendre la rue principale de la ville et emprunter une portion de route sombre. Enfin, j'arrive au Hungry Bear Saloon, un bar perdu au milieu de nulle part. Une douzaine de voitures et de camionnettes sont garées devant. Une enseigne de la marque de bière Pabst Blue Ribbon brille derrière la vitre. Je ralentis et je m'introduis sur le parking. La pleine lune inonde de sa lumière le gravier poussiéreux.

Ma voiture tranche avec les autres véhicules garés autour. Il n'y a que des fourgonnettes plus ou moins défoncées et de vieilles guimbardes. Une Volkswagen est en train de se décomposer sur un terrain vague de l'autre côté de la rue.

Alors que je me lance à la recherche de Stewart, la porte du bar s'ouvre brusquement et un flot d'ivrognes se déverse dehors en riant. Ils descendent les marches en bois en titu-bant. Je reste à l'écart et, dès qu'ils sont partis, je continue d'arpenter le parking. Stewart ne donne aucun signe de vie. Je lui avais dit de rester dehors et de m'attendre. Est-ce qu'il m'a écoutée ?

Je ne l'ai jamais vu bourré. Je ne sais pas comment il se comporte dans ces cas-là. De quoi est-il capable ? Je n'en ai aucune idée.

Je contourne le bâtiment. À l'arrière, je tombe sur une benne à ordures, un évier usé et un tas de canettes vides alignées contre le mur. Je continue mon tour et je découvre un autre parking – désert, à l'exception d'un vieux break garé tout au fond, sous des arbres. Il a deux pneus dégonflés. L'une des portières arrière est entrouverte.

Je m'approche vite, à pas de loup, et j'ouvre la portière en grand. Voilà Stewart, étendu sur la banquette, inconscient. Ses cheveux sont plus longs que dans mes souvenirs et son menton est couvert de poils broussailleux.

J'attrape la pointe de sa botte dans l'intention de le réveiller, puis je me ravise. Je le fixe, immobile. J'aime ce garçon. Éperdument. Je l'aime plus que tout. Mais que va-t-il lui arriver ?

Des voix distantes s'élèvent au-dessus des bruits de la forêt. Elles proviennent de l'entrée du bar. Un moteur démarre. J'entends quelqu'un manœuvrer et s'en aller.

Et moi ? Suis-je du genre à accourir chaque fois qu'un alcoolique en détresse m'appelle, et ce jusqu'à la fin de ma vie ?

Je ne crois pas.

Cette fois, c'en est peut-être terminé de ma relation avec Stewart. Notre histoire risque de prendre fin ce soir.

Soudain une camionnette vrombit derrière moi. Elle s'apprête à rentrer sur le parking.

La situation pourrait se compliquer.

Je regarde les phares balayer les graviers et la voiture abandonnée avant de m'éblouir.

Je suis repérée. Le véhicule s'approche. Apparemment ses occupants sont curieux de voir de plus près cette fille qui traîne sur un parking au beau milieu de la nuit. Je tire sur le pied de Stewart en murmurant :

– Stewart, réveille-toi. *Stewart* !

Il s'agit d'une camionnette de travail déglinguée, avec de grands compartiments latéraux pour ranger les outils. Elle s'arrête à ma hauteur en soulevant un nuage de poussière. J'aperçois deux hommes dans la cabine.

– Bonsoir, me dit le conducteur.

– Bonsoir.

– Qu'est-ce que tu fais ?

– Rien. Je suis avec mon copain. Il a un peu forcé sur la boisson.

– Regarde, il y a quelqu'un dans la voiture, chuchote le passager.

Je tente de les embobiner :

– Il va bien. Je vais le ramener à la maison.

Je secoue de nouveau le pied de Stewart en marmonnant son nom.

Les deux hommes échangent quelques mots à voix basse. Ensuite ils coupent le moteur. Un frisson de peur descend le long de mon échine. La camionnette me barre le chemin vers le bar. Personne ne peut nous voir.

Les portières s'ouvrent et les inconnus descendent.

Un grand silence règne à présent sur le parking. Il fait très sombre. Leurs bottes crissent sur le gravier. Le passager fait le tour de la camionnette pour mieux m'examiner. Ils jettent des coups d'œil autour d'eux.

– Ton copain, là, il a toujours son pantalon sur lui ? m'interroge le chauffeur.

– Oui. Évidemment. Il a juste eu besoin de s'allonger un peu. Il est en train de se réveiller.

– Ah ouais ? J'ai pas l'impression, moi.

Ils ne sont clairement pas là pour m'aider. Ils portent des casquettes pleines de taches de graisse. L'un d'eux a de longs cheveux grisonnants. Ils sont horribles et je lis d'horribles pensées dans leurs esprits. Je me mets à bafouiller :

– Vraiment, ça... ça va aller. Je maîtrise la situation.

– Tu te figures qu'on n'a pas compris ton manège ? T'es en train de te faire du fric, dit le passager.

– Non. Je... je suis son amie.

– Mais bien sûr...

Il se baisse et regarde le corps inerte de Stewart par la vitre.

– Je crois qu'il a son compte pour la nuit.

– Tu as pris son portefeuille ? me demande l'autre.

– Non. Puisque je vous dis que je suis une amie. Je le ramène chez lui.

Ils s'avancent vers moi.

– Tu prends combien ?

– Vous vous trompez. Je suis lycéenne.

– T'as pas une tête à aller au lycée.

Tout en reculant, je m'efforce de réfléchir. Qu'est-ce que j'ai sur moi ? Des clés. Mon téléphone. Rien d'autre.

– Je te propose vingt dollars, petite.

– Non merci.

– Tu as tort de refuser de l'argent, poursuit le conducteur. De toute façon, on peut se servir gratis.

Le bar apparaît de nouveau dans mon champ de vision. Qu'il est loin ! Je tente de remplir mes poumons pour hurler mais j'ai tellement peur que je ne peux pas respirer normalement. J'ai la gorge serrée...

Ils se consultent du regard et passent à l'attaque.

Ils sont plus rapides que je n'aurais cru. En un éclair, ils sont sur moi. Le passager me saisit à bras-le-corps et me plaque à terre. Il pue la transpiration, l'essence et le whisky.

L'autre attrape la boucle de ma ceinture. Je lui lance un coup de pied en appelant à l'aide :

– Stewart !

Je parviens à rouler sur le côté et à me mettre à genoux. Malheureusement, celui qui me tenait a toujours son bras autour de mon cou. Son copain me tombe dessus par-derrière et m'écrase de nouveau contre les cailloux. Le premier colle sa grosse main sur ma bouche. Je le mords.

– Ahhhh ! beugle-t-il.

– Chuuut ! siffle l'autre.

– Stew... !!!

Je voudrais crier mais aucun son ne sort de mes lèvres. Ils me clouent au sol. Je les entends grogner près de mon oreille, je sens leur haleine sur ma peau. Je me tortille, je lutte, jusqu'à ce que l'un d'eux me bloque la nuque avec son genou. J'ai le visage enfoncé dans la poussière. Ma bouche se remplit de gravier.

Je suis prisonnière, face contre terre. Ils ont défait ma ceinture. Mon jean glisse sur mes hanches. Impossible de me dégager malgré mes efforts, je suis complètement coincée.

Mon pantalon est maintenant baissé jusqu'aux genoux. La sensation de ma peau à nu me terrifie. Je ne renonce pas à me battre. J'essaie de hurler, de bouger, de donner des coups de pied...

Ma culotte craque. J'arrive à libérer mon cou et je cherche à me tourner quand un bruit attire subitement mon attention. Une porte claque quelque part et une voix de femme retentit :

– Hé ! *Hé !* Qu'est-ce qui se passe là-bas !?

Les hommes se figent. D'un bond, ils se lèvent et courent se réfugier derrière leur volant. Je regarde vers le bar, je distingue une femme en tablier debout sur le pas de la porte de derrière.

– Qui est là ? insiste-t-elle en scrutant la camionnette qui démarre sur les chapeaux de roues avant de disparaître au coin du bâtiment.

Des tourbillons de poussière s'élèvent dans le sillage du véhicule. Je me mets à cracher de la terre, des graviers et du sang. Je roule sur le dos et je remonte mon pantalon. Le bouton du haut est arraché.

La dame s'aventure sur le parking.

– Tu n'as pas le droit d'être ici, me dit-elle. Propriété privée.

Elle se rapproche pour examiner les lieux dans l'obscurité. En voyant le pied de Stewart, elle s'écrie :

– C'est ma voiture ! Que fait ce type dans ma voiture ?

Je me lève en tenant mon jean. J'ouvre la portière complètement et je tire sur le pied de Stewart jusqu'à ce qu'il tombe dehors. Alors il commence enfin à bouger. Ses yeux papillotent.

– Ne bouge pas d'où tu es, demoiselle, me menace la patronne du bar. J'appelle la police.

Stewart se redresse sur un coude. Il regarde autour de lui d'un air hébété. Pendant que la femme retourne à l'intérieur, je l'attrape par le bras et je tente de le hisser sur ses pieds.

– Qu'est-ce qui se passe ? demande-t-il.

– On s'en va. Maintenant.

Je finis de l'aider à se relever et je l'entraîne derrière moi sans lâcher mon pantalon.

– Allez ! Grouille-toi !

Après quelques pas chancelants, il accélère un peu. On se hâte de gagner le parking de devant et je pousse Stewart dans la BMW. Je claque la portière. J'entends tout un raffut maintenant, de l'autre côté. Je m'installe sur le siège du conducteur et je mets le contact. La silhouette du videur du bar se découpe dans l'embrasure de la porte. Je recule calmement. Lorsqu'il me voit, il braille quelque chose et court vers la voiture. J'enclenche la première et j'appuie à fond sur l'accélérateur. La BM s'élance, esquive le videur et le mitraille de gravier.

Je roule à cent jusqu'à l'autoroute. À côté de moi, Stewart reprend ses esprits. Il me pose des questions. Je ne sais pas trop quoi lui répondre.

Je n'arrive même pas à le regarder en face.

Cinquième partie

1

Je dépose Stewart chez sa sœur à trois heures du matin. Six heures plus tard, avec seulement trois heures de sommeil derrière moi, une lèvre tuméfiée et des bleus partout, je me présente à mes examens finaux.

Je m'en sors plutôt bien. Je réponds à toutes les questions.

Ensuite je retourne à ma voiture dans le parking et je pleure pendant deux heures.

J'étais décidée à raconter tout ce qui s'est passé à mon père. C'était la meilleure chose à faire, non ? Mais lorsque je le vois, plus tard ce jour-là, je suis tellement épuisée que les mots ne viennent pas.

J'ai menti à mes parents toute ma vie. Je ne leur ai jamais dit la vérité sur « ce qui est arrivé hier soir ». Je ne sais pas dire ce genre de choses. Pas plus qu'ils ne savent l'entendre.

2

L'année scolaire reprend deux semaines après. Le jour de ma rentrée en terminale, je vais dans le bureau de M. Brown. Il semble sincèrement heureux de me voir.

– Comment s'est passé ton été? me demande-t-il.

– Bien.

– Et les cours de rattrapage?

– C'était plus dur que je croyais.

Je lui tends mon bulletin. Il le prend, le déplie et se cale dans son fauteuil avant de lire mes notes à voix haute :

– 16, 14, 16, 15. C'est excellent, Madeline. Bravo.

Je le regarde, honteuse.

– Je vous avais promis des 16 partout.

– Tu t'es très bien débrouillée. Ne t'inquiète pas.

– Est-ce que ce sera suffisant pour aller dans une bonne fac?

– Honnêtement? Non. Mais quelques 16 de plus n'y auraient rien changé. Nous ferons ce que nous pourrons. J'ai déjà discuté de ta situation avec la conseillère d'orientation. Elle a quelques pistes intéressantes à te proposer.

– Merci.

Il continue de parcourir le bulletin.

– Pas d'absences, pas de retards. Maddie, tu t'en es vraiment bien tirée. De toute ma carrière, je n'avais jamais vu quelqu'un redresser la barre de façon aussi spectaculaire.

– Merci. Au sujet des notes, il est arrivé un truc...

Il agite la main.

– N'en parlons plus. Nous sommes tous très fiers de toi ici. Nous ferons tout ce qui est en notre pouvoir pour t'aider.

3

Une semaine après la rentrée, Stewart m'appelle. Il souhaite me voir en ville. Il m'annonce qu'il va prendre un car à Centralia.

On s'est donné rendez-vous dans un McDonald's, près de la gare routière. Stewart est complètement fauché. Sa grand-mère n'est plus là pour lui payer une cure à Spring Meadow. Alors il essaie de décrocher seul. Il assiste aux réunions des Alcooliques anonymes à Centralia tous les jours, matin et soir.

Cela fait dix-neuf jours qu'il n'a rien touché.

– Comment tu te sens ? je lui demande.

– Pas terrible. Je suis vraiment désolé pour l'autre jour.

– Ça arrive de rechuter. Cynthia le répétait tout le temps.

Je regarde par la fenêtre pendant qu'on sirote nos cafés. Pas de chocolat chaud pour nous aujourd'hui.

– Ça fait quoi ? De recommencer à se pinter ?

Il soupire.

– Au début, c'était génial. Pendant un moment, j'ai eu l'impression de ressusciter. Mon cerveau criait : *Oh, merci* !

– Et après ?

– Après c'est parti en vrille.

Je hoche la tête.

– À propos... dit-il. Cette nuit-là, qu'est-ce qui s'est passé sur le parking? Il y avait d'autres personnes. Des gars. Ils t'ont emmerdée?

– Je n'ai pas compris ce qu'ils voulaient.

Stewart fixe sa tasse.

– Redland... quelle drôle de ville! Tu verrais le nombre de bouseux accros à la meth. C'était n'importe quoi.

– Tu n'étais pas très beau à voir, toi non plus.

– Ouais. Je sais. (Il prend quelques secondes pour réfléchir.) Merci pour ce que tu as fait. Venir là-bas en pleine nuit, c'était cool. Je suis sincère. Je sais que tu avais tes exams et tout.

– Ouais...

J'ai préparé un petit speech ces derniers jours, dans le style : «Tu sais, je crois que ce serait bien qu'on fasse un break...» Je suis sur le point de me lancer quand mes yeux se posent sur ses doigts. Je remarque un détail anormal.

– La bague de ta grand-mère? Elle est où?

– Oh, dit-il en baissant le regard. Je l'ai perdue.

– Tu l'as *perdue*?

– Je sais. J'ai les boules. Je me demande où elle est passée.

– Comment tu t'es débrouillé?

– Je ne l'ai pas fait exprès.

– Mais Stewart...

– Je ne voulais pas la paumer, OK? se défend-il, agacé.

Je caresse sa main. Elle a l'air tellement nue sans la bague.

– Je t'avais bien dit que tu aurais dû la garder, ajoute-t-il. On n'en serait pas là aujourd'hui.

235

Je le raccompagne à la gare routière. On attend son car assis sur des chaises en plastique et puis, quand il arrive, on file se cacher dans un hangar. Stewart m'embrasse sur la joue. On s'enlace. Peut-être que la situation se passe de mots, en fin de compte. Stewart a dû comprendre qu'il valait mieux qu'on soit seulement amis pendant quelque temps.

– Je sais que j'ai l'air de perdre les pédales, me dit-il par-dessus les ronflements des moteurs. Mais je vais réussir. Je te le jure. Cette fois, je vais rester clean.

Je ne peux pas soutenir son regard. Alors je le serre contre moi. Il me presse contre lui à son tour et dépose un baiser sur mon crâne.

Puis je le laisse partir.

Je retourne à ma voiture.

Et je m'en vais.

4

Le mois de septembre passe à toute vitesse. Une semaine, il fait trente degrés, les gars de l'équipe de foot courent torse nu autour du terrain – et la suivante, il fait froid, les feuilles changent de couleur et une odeur familière de bois brûlé flotte dans l'air.

Un jour que je m'ennuie en permanence, je m'amuse à compter depuis combien de mois je suis abstinente : un peu plus de neuf. C'est pas mal. Pour moi, en tout cas.

Je me sens plus... normale. J'ai arrêté de me cacher. Je mange au self. Je m'attarde dans le hall. J'ai laissé tomber le costume flippant de Miss Désintox pour devenir une fille de terminale lambda, un peu hautaine mais appréciée et respectée. Tous les élèves de terminale ont un squelette dans le placard. Je ne suis pas si exceptionnelle.

Octobre arrive. Je consacre l'essentiel de mon temps libre à sortir avec Martin et Grace. Je ne suis pas certaine que Grace apprécie ma compagnie autant que son chéri, mais tant pis pour elle. Un pote de Martin, Doug Gerrard, traîne souvent avec nous. Je crois que je lui plais, même s'il ne tente rien. Il se contente de nous suivre partout sans parler, de me fixer quand il pense que je ne le vois pas, de me prêter des stylos ou de me donner des chewing-gums.

Je suis maintenant inscrite dans deux cours de niveau avancé : histoire et anglais. J'adore mes profs dans ces deux matières et ils me le rendent bien. Ils ne soupçonnaient pas mes capacités scolaires. Je réussis tous les devoirs sur table. Je participe en classe. C'est plutôt amusant de surprendre les gens.

Autre nouveauté : à mesure que le trimestre avance, je me rapproche d'Emily Brantley. On devient très copines. Je peux même dire qu'elle est maintenant ma meilleure amie, juste derrière Martin.

Notre relation franchit un nouveau cap lorsqu'elle me confie son intention d'arrêter de boire – au moins du dimanche au jeudi. Elle en a marre qu'on ne la prenne pas au sérieux. Elle veut me ressembler davantage : grave et mystérieuse.

Grave et mystérieuse. C'est notre *private joke* préférée. Comme s'il me restait encore des secrets !

Évidemment, la bonne résolution d'Emily ne dure pas. Elle a toujours besoin de fumer du shit avant les cours et elle estime qu'avaler une ou deux bières avec Raj et Jake ne la tuera pas... Mais elle tient pendant un moment. Alors on passe quelques soirées en semaine à réviser ensemble ou à se promener en voiture en mangeant du yaourt glacé. Elle est plutôt intelligente, en fait. On est un peu pareilles finalement : deux filles qui ont décidé, on se demande bien pourquoi, de ne pas utiliser leur cervelle et de se rebeller contre leurs propres facultés.

Martin change beaucoup pendant son année de terminale. Avec Grace à ses côtés, il devient moins balourd, plus sûr de lui, plus cool. Je commence à réaliser à quel point il est brillant. Il assure aux exams d'entrée à l'université et il obtient toutes les bourses auxquelles il postule. Il est pris du premier coup à Stanford, sans aucun problème.

Ça me fait réfléchir. Martin à Stanford. Je suis hyper heureuse pour lui, bien sûr. Mais, quelque part, je suis aussi un peu triste. Quoi que je fasse maintenant, certaines portes se sont déjà définitivement fermées pour moi. Il y a des opportunités que je ne retrouverai jamais.

Ça ne sert à rien de se lamenter, j'imagine. C'est comme ça.

Je me console avec les nouvelles rassurantes de Stewart. Il parvient à rester clean et sobre. Il m'appelle régulièrement, me tient au courant. Il passe le cap des trois semaines, des quatre, puis des cinq. Je crois qu'il est en train de s'en sortir.

Il a emménagé dans le sous-sol de son nouveau parrain des AA et il travaille à temps partiel dans un garage du coin. Je reçois des e-mails envoyés de la bibliothèque publique de Centralia, dans lesquels il me raconte ses réunions aux AA et ses progrès. Il parle de Dieu aussi. De « spiritualité ». Des soirées Bowling Sans Alcool. Des moments passés avec son parrain. Des motos qu'il répare.

On reste presque un mois sans se voir et puis, par une belle soirée d'automne, il déboule chez moi sur une énorme Harley-Davidson. On discute à côté de l'allée, sous les branches du gros érable illuminé de feuilles jaune vif. Stewart est assis sur la selle de sa Harley, dans son bleu de travail couvert de taches de graisse, son casque à la main.

Moi, je reste debout dans une attitude d'écolière, un exemplaire de *Macbeth* sous le bras.

On n'a plus couché ensemble depuis le printemps dernier. J'ai l'impression que ça remonte à un siècle. Pourtant, là, tandis que je me tiens près de lui dans le jardin, je suis plus amoureuse que jamais. Je ne le montre pas, bien sûr. Je ne peux pas me le permettre.

Je l'interroge sur sa vie, Centralia, son parrain. Je contemple ses yeux pendant qu'il m'explique comment on ajuste le starter sur un moteur Yamaha à deux temps. Je regarde ses belles lèvres bouger quand il parle.

Mais à son départ, il se passe un truc. Ma poitrine se serre. Soudain je ne l'aime plus. Je ne peux pas l'aimer. Je n'aime personne.

Cette nuit-là, en m'endormant, je revois les deux hommes derrière le Hungry Bear Saloon. Je sens leur odeur infecte, et leurs mains de prédateurs qui déchirent mes vêtements.

Je m'empresse d'écarter cette vision de cauchemar. Je la repousse et je l'enferme à clé avec tous mes autres mauvais souvenirs. Il n'est plus question de ressasser le passé. Je dois étudier. Travailler. J'ai déjà perdu trop de temps. Je ne veux plus gâcher une seule seconde de mon existence à penser à ce genre de choses.

J'ai raison, non ? En tout cas, je suis lancée dans la course.

5

Puisque nous sommes maintenant meilleures amies, Emily propose de me présenter deux garçons qu'elle a rencontrés au cours de l'été dans les îles San Juan. Paul, celui qui lui plaît, et son ami Simon sont en terminale sur la côte Est. Ils sont de passage à Portland avec le père de Paul pour se renseigner sur Reed College et d'autres universités de l'Ouest.

Paul et Simon nous ont donné rendez-vous dans le hall du Hilton. Paul est beau et bronzé, avec des cheveux bruns frisés. Il arbore une chemise blanche et un jean bien repassés.

– Désolé pour la chemise Brooks Brothers, s'excuse-t-il d'emblée. Mon père m'a obligé à l'enfiler – apparemment, il fallait s'habiller chic quand on visitait des facs en 1982.

Simon, lui, porte un T-shirt par-dessus son jean. Il a des cheveux mi-longs, blond foncé. Très poliment, il se lève pour nous saluer, puis se rassoit en même temps que nous.

On parle des études pendant un moment. C'est drôle de constater que les lycéens qui habitent à l'Est veulent étudier à l'Ouest, et vice-versa.

Je débite tout un speech à propos des écoles de l'Est, si vieilles, si réputées et pleines de traditions, en ajoutant que je donnerais n'importe quoi pour être acceptée dans l'une d'elles. Simon et Paul s'esclaffent. Ce monde est exactement celui auquel ils essaient d'échapper.

Paul, qui a la carte de crédit de son père, nous invite dans un resto luxueux. Il engage une grande conversation avec le serveur au sujet des vins locaux – lequel choisir, quel millésime, quel vignoble, quel château –, tout ça pour que ce dernier finisse par nous demander, avec beaucoup de dignité, nos dates de naissance.

Du coup, pas de vin.

Emily est enchantée, bien sûr. Paul et elle se montrent de plus en plus complices. Au Starbucks, ils ne peuvent pas s'empêcher de se frôler au comptoir pendant qu'ils se moquent des CD de développement personnel.

En sortant du café, on se balade en ville. Sur Pioneer Square, Paul emprunte un skate-board à un gars confiant et il dévale le trottoir avec.

Emily lui court après en hurlant à pleins poumons tandis que Simon et moi, on reste en arrière avec leurs tasses de *latte* à la main. Au bout de la rue, Paul tombe sur les fesses. Emily l'aide à se relever avant de monter sur le skate-board. Elle se casse la figure à son tour mais Paul la rattrape. Le contact se prolonge et il a l'air d'apprécier. Je dis à Simon :

– J'ai l'impression qu'il y a une étincelle entre eux.

– Une étincelle ? Une flamme, oui !

On les regarde se soutenir mutuellement sur le skate. Et ça se caresse, et ça se pelote, et ça glousse… puis ils s'embrassent.

– Bon, fait Simon. À mon avis, ils en ont pour un moment.

On s'assoit sur un muret en briques. J'en profite pour examiner Simon de plus près. Il est plus beau que je ne croyais.

– Alors, tu vas étudier quoi à la fac?

– La philo, me répond-il.

– Ah bon? Pourquoi ce choix?

– J'aime bien cogiter. Et toi?

– Je ne sais pas. Littérature, peut-être. J'adore lire.

– C'est sympa, la lecture.

– Ça m'intéresse de suivre le fil des pensées d'un auteur.

– Oui, moi aussi. Le mieux, c'est quand tu lis une phrase qui correspond exactement à ce que tu ressens depuis toujours, sauf que tu n'avais jamais réussi à trouver les mots pour l'exprimer.

– Et certaines descriptions dans les romans? Au début, tu ne comprends pas et après, tu te dis : «Ah, mais oui!»

– Ouais, acquiesce Simon. Rien de tel qu'une bonne métaphore.

On reste assis en silence un moment, à s'observer du coin de l'œil.

J'ai l'intuition que je lui plais. C'est bizarre. D'habitude, les gens normaux ne m'aiment pas.

6

Je ne fais pas le moindre commentaire lorsque je remonte en voiture. Mais à peine ai-je mis le contact qu'Emily se met à rire comme une folle.

– Oh là là, JE L'ADORE !

J'éclate de rire à mon tour.

– J'ai cru que vous alliez le faire sur le trottoir.

– Ha ha ! Il avait les mains baladeuses, hein ? Et Simon, alors ?

– Il est sympa.

– Oh, allez ! Il t'a plu. C'est le mec parfait pour toi.

– Ah bon ? Pourquoi ?

– D'abord il est intelligent. Il est cool. Il se lève pendant les présentations. À mon avis, c'est avec quelqu'un comme lui que tu devrais sortir. Je ne dis pas ça contre Stewart. Mais il te faut un garçon qui s'intéresse aux mêmes choses que toi.

Je ne sais pas quoi répondre. Je suis sauvée par le gong – ou plutôt par le portable d'Emily.

– Oh, mon téléphone vibre ! dit-elle. C'est sûrement Paul. Je parie qu'il veut me donner un rancard...

Mais ce n'est pas Paul.

– Oh non, soupire-t-elle en lisant l'écran. C'est mon imbécile de sœur.

– Qu'est-ce qu'elle veut?

– Elle doit être dépouillée quelque part...

Effectivement, Ashley Brantley est dépouillée quelque part. Plus précisément, dans la maison de Jayna Rosenfeld, une de ses copines de seconde. En réalité, c'est cette dernière qui a envoyé le texto. Emily la rappelle. Elles ont une brève conversation, puis Emily raccroche.

– Ça t'embête si on va récupérer ma sœur? me demande-t-elle.

– Pas du tout.

On trouve Ashley, Jayna et Rachel prostrées dans le sous-sol. La première est affalée dans une chaise longue, la tête rejetée en arrière. Elle se redresse à notre arrivée.

– S'lut les filles, braille-t-elle. Comment ç'va?

Emily est de mauvaise humeur. Elle est dégoûtée que sa soirée, qui avait si bien commencé, se termine comme ça.

– Allez, Ashley. On te ramène à la maison.

– Hé, Maddie, kesstu fais là?! Tu t'amuses avec ma frangine?

Emily ne me laisse pas le temps de répondre.

– Lève-toi, Ashley. Maintenant.

Sa petite sœur n'a pas l'air si mal en point... jusqu'à ce qu'elle essaie de se lever.

– Oups, je crois que je suis pompette! s'esclaffe-t-elle.

Jayna et Rachel volent à son secours.

On l'aide à franchir la porte du sous-sol et à traverser la pelouse humide. Lentement, on contourne la maison pour rejoindre la rue.

– Pourquoi on passe par là ? s'étonne-t-elle.

– Parce que la dernière fois, tu n'as pas réussi à monter l'escalier, marmonne sa sœur.

– Pff ! je peux y arriver. Rhôôô, v'zêtes pas drôles...

Sans décrocher un mot, je regarde Rachel et Emily pousser Ashley dans ma voiture.

On l'installe sur la banquette arrière et on attache sa ceinture. Jayna, écœurée, s'éloigne en tirant la tronche, tandis que Rachel (une copine de moins longue date, sans doute, qui est encore tout émue et flattée en présence d'Ashley la superstar) lui presse la main en lui disant au revoir.

– Ouais, c'est ça, réplique l'autre avec mépris.

Dix minutes plus tard, on atteint le domicile des Brantley. À la demande d'Emily, je me gare un peu plus haut dans la rue. Elle examine la façade pour essayer de deviner dans quelle pièce se trouvent ses parents.

– Je peux pas affronter papa et maman dans cet état, se plaint Ashley.

– Dommage pour toi, rétorque Emily. Tu n'as pas le choix.

– Ils vont flipper, tu le sais très bien.

– Ils sont peut-être couchés, me dit Emily en scrutant les fenêtres. Il est presque une heure du matin.

– Tu pourrais vérifier, ordonne Ashley.

– Et toi, tu pourrais la fermer ! lâche Emily en fusillant sa sœur du regard.

– OK, OK. C'était juste une suggestion.

– J'en ai marre de te couvrir. D'accord ?

– Moi aussi, j'en ai marre de me couvrir, grommelle Ashley.

Emily se tourne vers moi avec une mine exaspérée.

– Tu peux lui parler pendant que je suis dehors, s'il te plaît?

– Qu'est-ce que tu veux que je lui dise?

– Raconte-lui ce qui se passe quand on se met la tête à l'envers tous les soirs.

Elle sort de la voiture et ferme discrètement la portière avant de remonter l'allée à pas feutrés.

J'examine Ashley dans le rétro.

– Hé, Ashley?

– Quoi?

– Il arrive des trucs pas cool quand on se défonce trop souvent.

– Ah ouais? Comme quoi?

– Plein de trucs.

– Par exemple?

– Tu peux te faire violer.

– Et alors?

– Tu peux mourir.

– Je m'en fous.

– Tu peux tomber enceinte.

– Je me ferai avorter.

– Au bout d'un moment, les gens qui t'admiraient finissent par te considérer comme une pauvre fille pathétique.

– C'est déjà le cas, figure-toi.

Je suis surprise.

– Ah bon?

– Ça commence, ouais.

– OK, bon, ben voilà. J'ai fait mon devoir. La leçon est terminée.

Je me penche pour allumer la radio.

– J'ai une question à t'poser, dit-elle, la langue pâteuse. À quoi ça ressemble, la cure de désintox? Tu fais quoi de tes journées?

Je ne m'attendais pas à ce qu'elle rebondisse sur le sujet. Je la fixe de nouveau dans le miroir.

– Pour l'essentiel, tu restes assis. Et tu parles.

– Ça a l'air chiant.

– Ça l'est.

Elle réfléchit pendant que je règle la station.

– Y avait d'autres lycéens avec toi? continue-t-elle.

– Quelques-uns.

– Des garçons?

– Oui, mais tu n'as pas le droit de sortir avec.

– Pourquoi?

– Parce que parfois, les garçons font partie du problème.

– Pas faux, acquiesce-t-elle en riant. Et le soir, tu t'occupes comment?

– Tu mates la télé. Tu joues aux cartes. Le mardi, il y avait soirée ciné. C'était le seul moment où on pouvait aller en ville.

– La soirée ciné, répète-t-elle. La vache, c'est sordide.

– Non, la soirée ciné était plutôt sympa, en général. J'y allais avec une autre fille, Trish. On se sapait et tout.

– Elle avait quel âge, Trish?

– Dix-huit ans.

– Elle est où maintenant?

– Elle est morte.

– Ça craint.

Je cherche le regard d'Ashley dans la glace.

– Certaines personnes meurent, tu sais. C'est la vérité. Ça arrive.

– Ouais, je suis au courant.

Elle détourne les yeux et appuie sa tête contre le dossier.

Je n'insiste pas.

Emily revient sur la pointe des pieds. Elle ouvre la portière d'Ashley.

– T'as du bol. Maman et papa dorment.

– Ouais, ouais, grogne Ashley en s'extirpant de la voiture à grand renfort de coups de pied. J'ai toujours du bol.

7

Stewart m'invite à une réunion des AA le samedi. Il va recevoir sa médaille des soixante jours et il veut que je sois présente pour fêter l'événement avec lui.

Je parcours les quatre-vingt-dix bornes qui séparent West Linn de Centralia et je suis ses indications. La réunion a lieu dans une modeste église en bois, avec un parking boueux plein de nids-de-poule. Je me gare et je me dirige vers le parvis en évitant les flaques.

Il n'y a qu'une petite vingtaine de personnes à l'intérieur, assises sur des chaises pliantes, en majorité des gens d'âge mûr : agriculteurs, femmes au foyer, travailleurs de la scierie locale. L'ambiance est chaleureuse, amicale. Ils servent du café dans une de ces grosses cafetières en argent.

Je prends place sur une chaise en métal. Je remarque aussitôt que Stewart est très apprécié. Dans toutes les conversations, il n'est question que de sa médaille. Tout le monde se félicite de sa réussite. Il est leur mascotte, leur chouchou. Il appartient à leur communauté. Il est leur prince, maintenant.

Stewart est gêné d'être au centre de l'attention. D'un autre côté, ça ne lui déplaît pas. Et je sens qu'il aime ces gens en retour, à sa manière, avec simplicité. Je le lis dans ses yeux.

Après la séance, le groupe l'emmène dîner dans le seul restaurant chinois de Centralia. Je m'incruste et je suis le mouvement. Stewart marche à mes côtés, me présente aux autres, me garde près de lui.

Au resto, on lui porte un toast avec nos verres d'eau ou de Coca light. Stewart se lève et remercie à la cantonade. C'est une chouette soirée. Même si je ne connais personne, je passe un bon moment.

Plus tard, une fois les autres partis, on se promène dans le centre-ville silencieux de Centralia. Puis on retourne au parking de l'église où j'ai laissé ma voiture. C'est étrange d'être de nouveau seule avec lui. Pour être franche, je me sens jalouse des gens d'ici. Moi aussi j'aimerais avoir Stewart dans ma vie.

– Merci d'être venue, me dit-il lorsque nous atteignons la voiture.

Les yeux baissés sur mes clés, je lui réponds :

– De rien, ça m'a fait plaisir. Je suis contente que tu ailles bien.

– Tu sais, j'hésite à emménager à Portland.

Je le regarde avec étonnement.

– Je ne vais pas passer ma vie dans un sous-sol, ajoute-t-il en souriant.

Je lui rends son sourire. Il me dévisage avec cette expression bien à lui. Ses yeux brûlent.

Il a envie de moi.

Émue, j'avale ma salive et, l'air de rien, je lui demande :

– Qu'est-ce que tu ferais à Portland ?

– Je ne sais pas. Je me trouverais un boulot.

– Ce serait sympa de t'avoir pas trop loin...

Je tends la main et je tire sur la poche de son manteau.

– Oui, ce serait sympa, murmure-t-il en se rapprochant.

Je ne peux pas me retenir. On se jette l'un sur l'autre. On échange des baisers en s'arrachant nos vêtements et en haletant. Je respire son odeur à pleins poumons. Mon cerveau commence à tournoyer, ma conscience glisse dans un abîme merveilleux.

On finit à l'intérieur de la Volvo de ma mère. Stewart est fou de désir. Moi aussi. Ma raison me dit que nous allons nous arrêter, mais mon cœur sait bien que non.

C'était inévitable. Il est sur moi et il m'écrase de tout son poids. Je saisis ses cheveux par poignées, les plis de son T-shirt. Je caresse son visage qui flotte au-dessus du mien.

Le temps s'était interrompu et puis, soudain, c'est terminé. Je cligne des yeux. Stewart s'écarte et on reste immobiles un moment, épuisés et à moitié nus dans l'habitacle froid.

Ensuite on se rhabille lentement et on se tient blottis l'un contre l'autre. Stewart brise le profond silence.

– On n'aurait peut-être pas dû.

Son ton sérieux me surprend. Je lui murmure dans l'obscurité :

– Ne dis pas ça.

– Mais ce n'est pas bien.

– Ce n'est pas idéal. De là à penser que c'est « mal »...

Je lui prends la main, je l'embrasse, je la pose sur ma joue.

– Je t'aime, Stewart. Et je t'aimerai toujours.

– Moi aussi, je t'aime, Maddie. Tu ne peux pas imaginer à quel point.

8

Deux semaines plus tard, c'est à mon tour de célébrer un anniversaire. Le 21 novembre, cela fait pile un an que j'ai décroché.

Je me souviens de Cynthia me disant :

– Il y aura un moment dans ta vie où ce jour-là sera plus sacré pour toi que l'anniversaire de ta naissance.

Je ne sais pas si elle avait raison. Mais je suis surprise d'avoir tenu aussi longtemps. J'ai le sentiment que je dois marquer le coup.

Alors je me rends à la réunion des Jeunes AA où Trish allait avant. Comme je ne connais personne, je m'assois toute seule dans un coin et j'attends. Lorsque l'animateur demande si quelqu'un dans la salle a quelque chose à commémorer, je lève la main et j'annonce que je suis clean depuis un an.

Je m'avance pour prendre ma médaille sous un tonnerre d'applaudissements. Les gens deviennent un peu hystériques. Je ne sais pas pourquoi. Peut-être parce que je suis jeune et que je suis une fille. Ils poussent des cris et applaudissent. Les skaters qui tournaient la tête de Trish me tapent dans la main quand je retourne à ma chaise.

Une fois assise, je garde la médaille contre ma paume. Celles qui sont distribuées pour fêter les trente et soixante premiers jours d'abstinence sont en plastique. Elles ressemblent à des jetons de poker. La mienne est en cuivre. Elle est lourde. D'un côté il est écrit : « DEMEURE FIDÈLE À TOI-MÊME. » Et de l'autre : « UN AN. »

Je la serre fort dans mon poing. Toute une année !

9

Pour Thanksgiving, on prend la route direction Seattle afin de passer les fêtes dans la famille de ma mère. Ils sont irlandais et ils picolent toujours à mort quand on se réunit. Apparemment, j'ai hérité de leurs gènes. J'ai toujours aimé les Reilly. Pourtant cette année je m'ennuie, et je préférerais réviser plutôt que de jouer au foot dans le jardin avec mon oncle Rob – qui est bourré et qui s'est cassé le poignet dans ces mêmes circonstances il y a deux ans.

Tandis que Noël approche, je passe presque tout mon temps libre avec Martin, Grace et Doug Gerrard. On sort faire nos courses de Noël ensemble un samedi après-midi. Martin et moi, on a une grande conversation au Starbucks au sujet de la fac et du sens de la vie, en gros, pendant que Grace claque deux cents dollars en tapis de yoga bios pour ses sœurs.

Je pars aussi en virée shopping avec Emily. Ce jour-là, je trouve une carte de Noël pour Stewart ; elle montre deux adolescents en train de s'embrasser à l'arrière d'une voiture dans les années cinquante. Je lui achète aussi de chouettes gants de moto et des chaussettes en laine épaisses qui lui seront bien utiles parce qu'il caille vraiment dans le sous-sol où il vit. Ensuite je dégote un pyjama en flanelle avec des petites têtes d'élans imprimées dessus dans une boutique d'occasion. Je suis certaine qu'il lui plaira...

Emily remarque que beaucoup de cadeaux sont destinés à Stewart et je suis forcée d'admettre que j'ai encore craqué pour lui. Je plaisante en disant qu'après Noël, je foncerai à Centralia réclamer mon dû.

Au lycée, on a droit aux traditionnelles farces de Noël. Quelqu'un a fixé du gui au-dessus de la porte du foyer des terminales. Je passe dessous en compagnie de Doug Gerrard, ce qui provoque les gloussements excités d'un groupe de filles. Mais, bien que je ne proteste pas, Doug est trop effrayé pour m'embrasser et la situation devient vite gênante.

S'ensuivent l'incontournable fête dans le gymnase et les chants de Noël dans le hall. Ces coutumes sont super ringardes, mais je m'en fiche. Je célèbre mes premières vacances de Noël sans alcool et sans drogues et, du coup, tous ces trucs-là m'amusent. L'an dernier, à la même période, j'étais en train de récurer des toilettes dans un pavillon de réadaptation.

Alors la vie est belle.

Le 24 décembre, je me prépare tranquillement pour la messe de minuit, que mes parents ne manquent jamais, quand Stewart appelle. Je suppose qu'il veut juste me souhaiter un joyeux Noël. Mais non. En fait, il a des nouvelles : il déménage à Portland. Pour de vrai. Il s'est trouvé un appart à compter du mois de janvier. Il avait mis de l'argent de côté pour la caution.

Je suis sonnée. Et heureuse aussi. J'ai un immense sourire aux lèvres. D'un autre côté, je me demande quelles conclusions en tirer. Est-ce qu'il fait ça pour moi ? Est-ce une tentative pour qu'on se rapproche ? Et si c'est le cas, est-ce que j'ai envie, moi, qu'on devienne un vrai couple ?

Je ne tarde pas à obtenir une réponse.

– Il y a un autre truc que je voulais t'annoncer, me dit-il sur un ton bizarre.

– Quoi ?

Il lui faut une bonne minute pour cracher le morceau.

– Je sors plus ou moins avec quelqu'un.

– Ah bon ?

– Elle s'appelle Kirsten. Elle va te plaire. Je l'ai rencontrée ici. Elle veut venir à Portland avec moi.

– Attends... Tu emménages... avec une fille ?

– Non. Pas encore. Disons... qu'elle y réfléchit.

Je suis assise dans le salon. Je m'apprêtais à monter dans ma chambre mais finalement, je reste scotchée sur le canapé.

– Alors c'est... ta... copine... ta petite amie ?

– Pas vraiment...

– Qu'est-ce qu'elle en pense, elle ?

– Je ne sais pas.

– Mais vous êtes ensemble ?

– En quelque sorte.

– Ouah, Stewart... Je ne sais pas quoi dire.

– C'est bizarre, hein ?

– Oui, enfin, tant mieux. C'est ce qu'il te fallait.

Ma gorge commence à se serrer.

– J'espérais que tu serais contente, avoue-t-il. Même si je n'en étais pas sûr. Je ne sais jamais trop ce que tu penses.

Je ferme les yeux.

– Oui, je suis contente.

– Comme tu n'avais pas l'air d'avoir envie de ce genre de relation... pour nous...

– Quoi ? Comment ça ?

– J'avais l'impression que tu préférais te concentrer sur tes études. Et que tu ne voulais pas avoir un fil à la patte.

Il a entièrement raison. Priorité aux études. Aujourd'hui, ça me paraît complètement idiot.

– Je la connais depuis un petit moment, continue-t-il. J'avais peur de t'en parler. Je craignais que tu sois jalouse...

– Je le suis, un peu. Forcément. Mais ça ne m'empêche pas d'être... tu vois... heureuse pour toi...

– Je suis désolé.

– Non, ne t'inquiète pas. Je trouve que c'est une très bonne nouvelle, j'affirme d'une voix brisée.

– Tu n'es pas trop triste ?

– Non. Il faut juste que je m'habitue à l'idée, Stewart.

– Pardon, Maddie. Je ne savais pas comment te l'annoncer.

– Ne t'excuse pas. Vraiment, je t'assure... C'est génial.

Après avoir raccroché, je consulte ma montre. Il faut que je m'habille pour la messe.

Je monte l'escalier et je vais dans ma chambre. Je suis mon rituel : je change de sous-vêtements, j'enfile des collants, je fouille dans mon placard en réfléchissant à ma tenue.

Ma mère me hurle quelque chose depuis le rez-de-chaussée. Je réponds en beuglant un truc inarticulé, moi aussi :

– Ouais, OK !

Je tombe sur une jupe en laine grise et un gilet rouge que

je mettais en seconde. Je suis un peu vieille pour les porter maintenant, mais tant pis. J'enfile ma jupe. Mes mains tremblent. J'attrape mon chemisier blanc.

Ma mère crie de nouveau. Cette fois, je ne peux pas prononcer le moindre mot. J'étouffe subitement. Mes yeux se brouillent. Les larmes commencent à couler. Impossible de les arrêter. Elles ruissellent sur mes joues. Je lâche le chemisier et je m'écroule. Je tombe à l'intérieur du placard en arrachant la moitié des cintres.

Je reste assise ainsi, à moitié habillée, des manteaux et des robes accrochés aux épaules, en sanglotant et gémissant.

Voilà. Ça y est. Ce qui devait arriver est arrivé.

J'ai perdu Stewart. Complètement. Définitivement.

10

Il y a une tonne de monde à l'église. Elle est pleine à craquer de familles. Je vois des garçons partout. Gentils, propres, polis. Des garçons de bonne famille, en blazer et cravate. Ils me sourient et m'aborderaient peut-être si on se rencontrait ailleurs – à la fac, par exemple, dans une fête ou au domicile cossu d'une connaissance commune. Je les regarde avec indifférence. Ces gens-là ne sont pas pour moi. On ne fait pas partie du même monde.

Stewart fait partie du même monde que moi. Il est mon monde. Il est passé par où je suis passée. Il me comprend comme aucune de ces personnes ne peut le faire, et ne le fera jamais.

Mes parents et moi, on s'agenouille, on se relève, on accomplit machinalement les gestes attendus à l'église. Et pendant que les autres chantent, je me remets à pleurer. Ma mère me donne un Kleenex. Des tas de garçons me dévisagent maintenant. Ils me fixent avant de détourner les yeux.

11

Je passe la Saint-Sylvestre chez Martin. Une fête pourrie nous réunit dans son sous-sol, moi, Grace, Doug, Martin, sa petite sœur et deux copines de quatrième de cette dernière. On regarde la boule de cristal monter au sommet du One Times Square Building à la télé. Puis on égrène le compte à rebours et à minuit pile, Doug Gerrard, qui semble avoir attendu ce moment toute sa vie, essaie maladroitement de m'embrasser pendant que la sœur de Martin et ses copines font clignoter les lumières en jouant avec l'interrupteur. Je consens à donner un vrai baiser à Doug – pauvre garçon – mais il se défile à la dernière seconde, si bien que notre baiser se transforme en bise. On finit plantés comme des poireaux à cinquante centimètres l'un de l'autre alors que Martin et Grace, eux, se lancent dans une séance de câlins intensive. Ils fourrent leurs mains partout, se roulent sur le canapé, gloussent et s'amusent comme des petits fous.

En rentrant à la maison une heure plus tard, j'allume la télé dans le salon et j'enlève mon manteau.

À l'écran, on voit un journaliste de la chaîne locale entouré de voitures de police et d'ambulances aux gyrophares allumés.

Des projecteurs éclairent une portion de l'autoroute 211 située non loin de chez moi.

– C'est une scène terrible à laquelle nous assistons ici, Bill, dit le reporter.

Derrière lui, j'aperçois ce qu'il reste d'un Toyota Highlander vert vaguement familier.

12

D'après la version des faits donnée par Bryce Handler, Ashley Brantley avait passé la journée à se disputer avec son amie Jayna Rosenfeld. Ashley avait emprunté le pull à capuche préféré de Jayna et le gardait depuis plus d'un mois. Jayna lui avait fait promettre de le lui rendre à temps pour la fiesta du Nouvel An organisée chez Courtney Robbins mais, naturellement, Ashley avait oublié.

Donc, cet après-midi-là, Jayna est allée chez Ashley en voiture. Elle est rentrée dans la maison, puis dans la chambre de son amie, a ouvert le placard et récupéré son pull, tout cela pendant qu'Ashley était debout à côté en train de parler à Bryce au téléphone.

Ashley a suivi Jayna dehors (sans raccrocher) et l'a accusée de lui voler son propre pull. L'autre a répliqué en la traitant de sale conne. D'autres insultes du même tonneau ont été échangées. La guerre était déclarée.

Plus tard, pendant la soirée chez Courtney, Rachel est venue de la part d'Ashley dire à Jayna qu'elle était une menteuse, une voleuse, une pouffiasse, et qu'elle mettait fin à leur amitié. Rachel était sans doute ravie de transmettre ce message, puisqu'elle complotait depuis toujours pour remplacer Jayna comme meilleure amie d'Ashley.

Les deux nouvelles ennemies se sont évitées jusqu'à minuit. Puis elles ont fini par se croiser dans le jardin où elles se sont insultées bruyamment pendant plus d'une heure sous les yeux d'un groupe d'invités de plus en plus nombreux.

Ensuite, Jayna a voulu partir. Elle est montée dans son Toyota Highlander vert sapin et a allumé le moteur. Ashley a ouvert la portière et l'en a sortie en la tirant par les cheveux. Suite à quoi Jayna lui a balancé son poing en plein visage, avant de recevoir elle-même un coup de pied dans le genou.

Après moult coups de pied, gifles et tirages de cheveux, Ashley a pris le dessus et terminé au volant du Highlander. Rachel, qui refusait d'être séparée de son amie, a sauté sur le siège passager. Ashley a claqué la portière et menacé de s'en aller. Jayna s'est engouffrée à l'arrière (c'était sa voiture, après tout) et a plongé pour attraper les clés sur le contact.

Tandis que Rachel observait cette bataille épique entre les deux filles les plus populaires de sa classe sans oser intervenir, Ashley a réussi à repousser Jayna. Pour bien lui faire comprendre qui était la patronne, elle a démarré la voiture en écrasant la pédale d'accélérateur. Le Toyota est parti sur les chapeaux de roues, les portières se sont refermées et les trois passagères se sont retrouvées le dos plaqué contre leurs sièges. Ashley, qui n'avait pratiquement jamais conduit, est parvenue à reprendre le contrôle du véhicule. Il ne lui a fallu que quelques secondes pour dépasser les soixante kilomètres à l'heure. Jayna, habituée aux frasques imprudentes de la plus jeune des sœurs Brantley, lui a hurlé à pleins poumons de s'arrêter immédiatement.

Ashley n'a pas écouté.

Personne ne sait avec précision comment les événements se sont enchaînés ensuite. Les gens massés devant chez Courtney ont vu la voiture zigzaguer d'un bord à l'autre de la route, griller un stop, puis prendre un virage à droite à fond de caisse. À ce moment-là, Jayna était sûrement trop terrifiée pour tenter quoi que ce soit. De toute façon, le Toyota roulait trop vite pour qu'elle puisse prendre le volant. Elles étaient maintenant à la merci d'Ashley.

J'imagine Rachel sereine de son côté. Dans son esprit, il ne pouvait rien arriver à Ashley Brantley. Elle était trop parfaite, trop belle ; les dieux du lycée, qui lui avaient octroyé toutes les qualités possibles et imaginables, veillaient sur elle. Elle était indestructible.

En réalité, non. Pas plus que les D'Augustino. Ce couple âgé rentrait chez lui après avoir passé la soirée en petit comité chez son fils. M. D'Augustino conduisait lentement, prudemment. Il savait qu'à la Saint-Sylvestre, mieux vaut se méfier.

Ashley les a percutés de plein fouet à cent dix-sept kilomètres-heure. Elle est morte sur le coup, ainsi que les malheureux D'Augustino. D'une certaine manière, elle a eu de la chance. Elle n'aura jamais à réfléchir à ce qu'elle a fait.

Jayna, sur la banquette arrière, a eu moins de veine. Broyée et mutilée, elle a hoqueté pendant presque une demi-heure au milieu des décombres du Toyota Highlander avant que les secours ne perdent son pouls.

Rachel a payé le plus lourd tribut. Elle a été écrabouillée elle aussi, transpercée, son jeune visage tranché par un éclat de plastique. Elle a néanmoins survécu jusqu'à son arrivée à l'hôpital, où elle a subi quatre interventions chirurgicales d'urgence avant de s'en aller à son tour. Malgré leurs efforts, les médecins n'ont pas pu stopper les hémorragies internes ni réparer les multiples fractures dont elle souffrait. On peut se demander quelles ont été ses dernières pensées. Peut-être qu'au moment de s'éteindre, elle songeait à l'avertissement que ses parents lui avaient donné deux semaines plus tôt après avoir entendu dire les pires choses au sujet de « cette petite Brantley ».

13

Les enterrements s'étalent sur trois jours.

L'affluence est massive. Des centaines de personnes viennent. Des élèves du lycée. Des gens du coin. M. Brown est là. Je le vois dans le fond, en train de déplier des chaises supplémentaires.

Pendant toute la semaine, les journaux consacrent des articles à ce drame et les images tournent en boucle à la télé. «La tragédie de la Saint-Sylvestre» fait la une. Comme les victimes sont de jolies filles, on voit des photos d'elles partout : trois adolescentes radieuses des quartiers résidentiels, dont les espoirs, les rêves et les existences parfaites ont été anéantis brutalement.

On peut lire aussi des points de vue sur la consommation d'alcool chez les jeunes et l'âge légal de la conduite – doit-il passer de seize à dix-huit ans ? C'est assez drôle, étant donné qu'Ashley avait quinze ans et qu'elle n'avait pas le permis.

Je me rends en avance à l'enterrement d'Ashley au cas où Emily aurait besoin de moi. Mais elle ne s'écarte pas de sa famille. Elle fait même mine de s'éloigner lorsque je me faufile à travers la foule pour aller lui parler. Elle n'a pas l'air de réclamer mon soutien.

Alors je reste près de Martin, Grace et Doug. Grace n'arrête pas de répéter :

– C'est vraiment affreux, ce qui est arrivé.

À un moment, alors que je suis toute seule avec lui, Martin se tourne vers moi.

– Notre premier rendez-vous, ce n'était pas déjà à un enterrement ? plaisante-t-il.

Ce n'est pas drôle, mais je souris pour ne pas le mettre mal à l'aise.

Ces trois journées sont éprouvantes. Personne ne sait comment se comporter. Ni quoi dire.

Je n'en peux plus de Grace et de ses « C'est vraiment affreux. » Elle est incapable de la fermer.

Après la dernière cérémonie, celle en l'honneur de Jayna, tout le monde se réunit pour une grande réception dans le gymnase de notre lycée. Il y a plus de deux mille personnes présentes. La communauté a besoin de cet ultime rituel. Les élèves aussi. Et les parents.

Mais pas moi. Je rentre à la maison. J'en ai assez vu.

Sixième partie

1

Le 1er février, Stewart emménage enfin dans son nouvel appartement à Portland. Il m'appelle pour me l'annoncer. Il me propose de venir l'aider à défaire ses cartons. Je ne suis pas certaine que ce soit une bonne idée mais je n'arrive pas à dire non.

Je me pointe à midi un samedi. Le bâtiment est en piteux état. Sans parler du quartier qui est franchement sinistre. Je me gare, je grimpe les marches et je frappe à la porte de l'appartement 305. Comme elle est entrouverte, je la pousse doucement.

J'entre dans un studio minuscule, sale et décrépit. La peinture s'écaille sur un mur. Un carreau de fenêtre est fissuré.

– Salut! me lance Stewart en surgissant derrière un placard. Qu'est-ce que tu en penses?

– Ouah. Je... euh... c'est très...

– Oui, je sais. Mais c'est bon marché, dit-il en posant un carton par terre.

Je fais quelques pas hésitants à l'intérieur.

– Le plancher n'est pas lisse. Tu vas attraper des échardes.

– Moi, je trouve que cet appart a de la *personnalité*.

– Il y a des courants d'air. Je les sens.

– On est en février. La température va monter d'ici un mois ou deux.

Je regarde par la fenêtre.

– Tu crois que les rues sont sûres par ici?

– Sans doute pas. D'un autre côté, je n'ai pas grand-chose à me faire voler.

Il n'a pas de meubles, rien pour s'asseoir. Je l'aide à déplacer des affaires.

– En effet, tu manques un peu de tout.

– Les biens matériels, moi, ça ne m'intéresse pas, plaisante-t-il.

– Ce n'est pas plus mal.

– Tu veux une tasse de thé?

J'accepte son offre. Stewart déniche une théière dans son bazar et la remplit d'eau. Je l'observe. Il a changé : il paraît plus vieux, et en meilleure santé. Autre différence de taille : il a coupé ses cheveux et cessé de les teindre. Au naturel, ils sont d'une couleur châtain ordinaire.

On sirote notre thé. Assise sur un carton, ma tasse à la main, je lui demande :

– Alors, où est Kirsten?

J'ai cru comprendre qu'elle emménageait de suite.

– Elle est partie récupérer un lit chez sa mère.

Je hoche la tête.

– Comment ça va, vous deux?

– Bien. Elle est super contente qu'on s'installe ensemble.

– C'était... son idée?

– On n'a pas vraiment eu le choix. C'est elle qui a signé le bail.

– Oh.

– Je suis confiant, ça va bien se passer. (Il se penche au-dessus d'un carton et en sort de la vaisselle dégoûtante.) Je sais que ça doit te faire bizarre. Mais, à mon avis, elle va te plaire. Elle a bon fond.

– Oui... (Ma voix s'éteint. Je contemple le petit studio miteux.) Je vous souhaite bonne chance. Habiter avec quelqu'un, ce n'est pas facile.

Stewart fronce les sourcils.

– Tu dis ça comme si on n'allait plus se revoir, toi et moi.

– Ça ne dérangera pas Kirsten si on continue de traîner ensemble ?

Il hausse les épaules.

– Non, pourquoi ?

– Ben... parce qu'on a couché ensemble ? Parce que je suis ton ex ?

– Ouais, peut-être.

– Elle est au courant, non ?

– Bien sûr. Mais elle a aussi conscience que toi et moi...

– Toi et moi, quoi ?

– Qu'on comptera toujours l'un pour l'autre. Depuis qu'on s'est rencontrés en cure, on a ce lien qui nous unit...

Je bois une gorgée de thé.

– Et j'espère qu'on va le garder, continue-t-il. J'espère qu'on va rester amis.

– Je déteste cette expression, « rester amis ».

– D'accord. Reconnais quand même qu'on a une relation un peu à part, hein ? On est des camarades. On a fait la guerre tous les deux.

Je ne réponds pas. Il a raison. Je ne veux pas l'admettre. Mais je sais qu'il a raison.

2

Pendant ce temps, je dois faire face à un nouveau problème au lycée : Emily Brantley. Bien sûr, depuis la rentrée, j'essaie d'être la plus attentionnée possible avec elle. Je lui laisse de l'espace, du temps, je ne la bouscule pas. J'attends qu'elle soit prête à ressortir, à reprendre des activités normales. Je ne panique pas quand elle semble m'éviter après la reprise.

Et puis je constate qu'elle ne reste pas seule. Elle recommence à côtoyer ses anciens amis, bien qu'elle continue de me tourner le dos.

Un jour, j'apprends par hasard qu'elle a visité le campus d'UCLA, l'université sur laquelle se porte son premier choix. Quand je l'aborde devant son casier après les cours, elle n'arrive même pas à me regarder dans les yeux.

– Alors c'était comment UCLA ?

– Bien. Sympa et ensoleillé, tu vois.

Elle fixe obstinément ses affaires.

– Tu veux toujours y aller ?

– J'en sais rien, peut-être.

Elle fait mine de tirer sur un livre coincé au fond de son casier.

– Qu'est-ce qu'il y a, Emily ?

– Rien.

– J'ai l'impression que tu ne veux plus me parler.

Elle secoue la tête.

– Non. C'est juste que, chaque fois que je te vois, je pense à Ashley.

– Oui. Ça doit être bizarre.

– Je ne te reproche rien. Ce n'est pas la question.

– Je sais.

– Cela dit, ton nom n'arrête pas de revenir sur le tapis. Chez la psy, par exemple. Elle pense que je me sens coupable parce que je t'ai demandé d'aider ma sœur au lieu de le faire moi-même.

Je lui réponds calmement :

– Tu ne peux pas laisser ce genre de pensées t'atteindre. À qui la faute... Qui aurait dû l'arrêter... Personne ne pouvait l'arrêter.

– C'est ce que tout le monde me répète.

– J'ai essayé de lui parler, tu sais. Elle m'a à peine écoutée.

Emily garde les yeux rivés au sol.

– Peut-être que tu t'es mal exprimée.

Je suis un peu décontenancée par sa réaction.

– Quoi ?

– Tu aurais peut-être dû insister. Tu étais son idole. Tu étais la seule à pouvoir l'influencer.

– Mais non. C'est ce que j'essaie de t'expliquer. C'était impossible.

– Je sais, soupire Emily. Je suis désolée. Il faut que je mette tout ça derrière moi.

– Oui.

– Avec un peu de chance, je serai en Californie l'an prochain et une fois là-bas, tout ira mieux.

– J'espère qu'on pourra rester amies, Emily.

– Ouais. Il y a des choses qui ne se commandent pas.

En prononçant ces mots, elle referme son casier puis elle s'éloigne tandis que je reste plantée là, bouche bée.

3

Tout le mois de février se déroule dans une ambiance morose. Il fait un temps pourri. Les gens sont à cran. Un nuage sombre de tristesse plane sur le lycée.

À tel point que M. Brown demande à un spécialiste du deuil de tenir un grand discours devant tous les élèves. Celui-ci nous dit des choses gentilles à propos d'Ashley, de Jayna et de Rachel mais, surtout, il insiste pour qu'on reprenne le cours normal de nos vies et qu'on profite de la fin de l'année scolaire en essayant d'oublier ce qui s'est passé.

On fait de notre mieux.

Emily ne vient plus en cours. D'après les rumeurs, elle serait à l'hôpital suite à une overdose de médicaments. Mais l'histoire évolue à son retour au lycée – finalement, elle avait la grippe.

J'ai moi aussi mes moments d'abattement. Je me demande si Emily a raison. Peut-être que j'aurais dû parler plus sérieusement avec Ashley. Je téléphone à Stewart pour en discuter avec lui, mais je l'interromps en plein dîner avec Kirsten et la situation est tellement gênante que je me dépêche de raccrocher.

Étonnamment, mon obsession pour les facs de la côte Est s'évanouit. Je me réveille un matin et je réalise que je m'en fiche complètement. Je veux rester à Portland. Je veux me trouver un job – un truc tout bête, du style promeneuse de chiens ou employée de magasin de loisirs créatifs.

Les études, la pression, le stress – très peu pour moi. Je n'en ai plus envie.

Dommage : j'ai déjà envoyé mes candidatures. Un mois après, je suis acceptée à l'université du Massachusetts. Ce n'est pas une fac géniale. En plus, comme elle se trouve à l'extérieur de mon État, mes parents vont devoir débourser une fortune en frais d'inscription.

Le jour où je reçois la lettre d'admission, je ne me rappelle même plus pourquoi j'ai postulé là-bas. C'est fou.

Heureusement, mes parents comprennent mes sautes d'humeur. Ils essaient de me rassurer. Mon père, qui s'y connaît, me dit :

– Tu y vas comme ça, pour voir à quoi ça ressemble, et si tu ne t'y plais pas, tu reviens.

Alors je remplis les formulaires et j'envoie le pli. Mon père signe un chèque.

Et voilà. Maddie le pit-bull est officiellement inscrite à l'université.

4

Au début du mois d'avril, je rencontre enfin Kirsten.

Comme elle et comme Stewart, je redoutais ce moment. Au bout du compte, ça se passe de façon assez naturelle.

Stewart célèbre son septième mois de sevrage. On se donne rendez-vous à cette fameuse réunion des Jeunes AA de Portland, dont il est maintenant un habitué. En entrant, je les aperçois tous les deux assis sur des chaises pliantes dans la rangée du milieu. Kirsten semble nerveuse. Stewart, égal à lui-même, affiche une mine réjouie et espiègle – jusqu'à ce qu'il me voie approcher.

Quand elle comprend qui je suis, Kirsten se lève. Elle est mince et fine. L'anneau qu'elle porte au sourcil lui mange le visage. Elle est habillée dans un style punk-alternatif-végétarien. Elle doit venir d'une petite ville, ça saute aux yeux.

À part ça, je sens que c'est quelqu'un de très authentique. Je crois qu'elle a peur de moi. J'essaie d'être sympa. En lui donnant l'accolade, je me rends compte qu'elle est encore plus maigre qu'elle n'en a l'air. Son parfum me rappelle vaguement l'odeur des magasins de produits diététiques. Je ne saurais pas dire si elle est jolie. En tout cas, elle est dévouée à Stewart. Peut-être qu'il a enfin trouvé chez elle ce dont il avait besoin : moins de prises de tête, plus de générosité.

Je m'assois à côté d'eux, même si ça me gêne un peu. La séance commence par la distribution de médailles. Stewart, comme toujours, est très populaire. Quand il va chercher sa récompense, le public explose de joie. Quelqu'un lui met un petit coup de bonnet derrière la tête au milieu de l'hilarité générale. Un autre crie :

– Hé, Stewaaart,'spèce d'ivrogne !

Il prend sa médaille, la serre dans son poing et la brandit dans un geste de victoire pendant que tout le monde applaudit et siffle.

Je jette un œil à Kirsten. Elle paraît mal à l'aise. Peut-être qu'elle n'est jamais venue dans ce genre d'endroit. Elle ne s'attendait sans doute pas à un sous-sol plein de hooligans et de skaters.

Après la réunion, un groupe de gars emmène Stewart au café du coin, en bas de la rue. Kirsten et moi, on suit et on s'installe discrètement tandis que les garçons plaisantent et taquinent le héros du jour.

Tout en sirotant mon café, je demande à Kirsten si elle a trouvé un job à Portland. Elle me répond qu'elle vend des fleurs en ville. Je connais la boutique – il y a toujours des petites minettes hippies derrière le comptoir. C'est parfait pour elle.

Elle m'interroge à son tour et je lui explique que je suis en terminale au lycée. Elle l'ignorait. Elle me croyait plus vieille. Elle regarde Stewart, l'air de penser : «Mais pourquoi tu ne me l'as pas dit?»

Notre conversation est bizarre. Maladroite. Mais Kirsten est gentille. Bourrée de bonnes intentions. Elle ne fera pas souffrir Stewart.

Ce qui ne m'empêche pas de m'inquiéter pour lui. Je ne sais pas trop pourquoi.

Il vient de passer sept mois sans toucher à la boisson, il s'est fait des nouveaux potes aux AA, il a une petite amie folle de lui et il est payé pour nettoyer les moquettes dans des immeubles de bureaux.

Mais je m'inquiète quand même.

5

– Je savais bien que je te trouverais ici, s'exclame Martin en me rejoignant dans la bibliothèque à midi.

– Quoi ? J'ai le droit de venir ici, non ?

– Tu recommences à te planquer.

– Pas du tout.

– C'est pas grave. Moi aussi.

– Où est Grace ?

– Elle vient de découvrir que Tara Peterson aussi allait à Mount Holyoke l'an prochain, et du coup elles sont super copines.

– Tara Peterson ? À Mount Holyoke ? Je tuerais pour aller là-bas !

– Ouais. À force de cumuler les options, ça a fini par payer.

– La vie est trop injuste.

Je retourne à mes mots croisés. Martin prend une chaise et reste assis à côté de moi à glandouiller. Il ne fait plus ses devoirs puisqu'il est déjà accepté à Stanford. Il n'a même pas emmené son sac aujourd'hui.

– C'est démoralisant d'être en terminale, déclare-t-il en se calant sur sa chaise. Au début de l'année, on est tout excités et puis en fin de compte, il ne se passe rien. On tue le temps.

– Bienvenue dans mon monde.

Il fixe ma grille de mots croisés.

– Tu as envie de faire un truc ce week-end ? me propose-t-il.

– Et Grace ?

– Elle va à Seattle.

– Oh.

– On pourrait aller patiner.

– Ouais. Si tu veux.

Il renverse sa chaise dans un bruit sourd.

– Je crois que Grace va me larguer.

– Pourquoi tu dis ça ?

– Il y a un autre type qui lui plaît. Frank Perrone. Il va à Bradley.

– Depuis quand ?

– Sa mère essaie de les caser ensemble depuis la cinquième. Elle ne peut pas me sacquer. Elle veut un garçon grand, beau et athlétique pour sa fille. Pas un geek.

– Et Grace tombe dans le panneau ?

– J'ai l'impression. Elle n'arrête pas de me répéter que les relations à distance ne marchent jamais. En me rappelant qu'on sera chacun à un bout du pays.

– Ce n'est pas bon signe.

– Je sais. Elle est tellement rationnelle. Ça me fout les jetons. Les garçons sont censés être rationnels. Pas les filles.

On sort patiner ce week-end-là. Le lundi suivant, Grace casse avec lui en rejetant la faute sur moi. Elle raconte à tout le monde que Martin n'a jamais cessé de m'aimer en secret.

283

Ça m'énerve tellement que j'envisage d'aller la retrouver devant son casier pour lui mettre ma main dans la figure. Mais j'ai peur de ne pas être capable de ressusciter Maddie le pit-bull. Alors Grace me toiserait avec son petit air hautain et c'est moi qui finirais humiliée.

Du coup je renonce. De toute façon, qui s'intéresse à cette histoire ?

Martin a raison à propos de l'année de terminale. Elle ne sert strictement à rien. On s'ennuie ferme, à moins d'adorer jouer au Frisbee ou de réaliser son rêve de devenir président du club d'éducation civique.

Maintenant qu'on est débarrassés de Grace, on passe plein de temps ensemble, Martin et moi. On consacre nos derniers mois de cours à se balader ou à bavarder allongés sur la pelouse au-dessus du terrain de base-ball. On mâchonne des brins d'herbe en contemplant les nuages. C'est amusant, tout en ayant un petit goût amer. Il m'est arrivé tellement de choses pendant ces quatre dernières années.

Qui aurait deviné que je serais triste de quitter le lycée Evergreen ?

6

À la remise des diplômes, je me retrouve par hasard coincée à côté de Jake et Alex. Je croyais qu'ils m'en voulaient d'avoir brisé notre complicité de camés. Mais je me trompais. Ils sont super gentils, surtout Alex. Il me demande si j'ai prévu des trucs cet été et me propose de sortir avec lui d'un ton vague et détaché.

Ensuite, je rejoins Martin. Toute sa famille s'est pointée. Ses parents m'adorent maintenant. Grace s'approche et pique une crise quand Martin refuse de se faire prendre en photo avec elle.

– Mais tu étais mon petit copain de terminale ! insiste-t-elle.

Même sa mère vient s'en mêler. Martin tient bon. Il refuse d'en discuter. Pas de photo. Un point c'est tout. Je reste en dehors de ça mais, au fond de moi, je l'applaudis.

J'ai hâte de voir ce qu'il va devenir à Stanford. Et plus tard, une fois adulte.

Il va assurer. À mon avis. Il va devenir président, inventer un traitement contre le cancer ou un truc dans le genre.

Je le pense. Je suis carrément sérieuse.

Septième partie

1

Et je rebois.

Voilà exactement comment c'est arrivé. Au milieu de l'été, Paul, le copain d'Emily, débarque en ville. Emily étant en vacances, on se donne rendez-vous et on décide d'aller à une fête dont il a entendu parler, chez des étudiants de l'université Reed – une fac privée de Portland hyper sélective. Il y a une tonne d'alcool et d'autres substances qui circulent, mais je ne suis pas mal à l'aise. Je ne me sens pas spécialement vulnérable. Ce n'est qu'une soirée de plus, après tout.

À un moment donné, je suis en train d'écouter quelqu'un raconter une histoire drôle quand un type se pointe avec quatre grandes bouteilles de bière à la main. Il est à deux doigts de tout lâcher. Histoire de rendre service, tout le monde se précipite pour en attraper une. Dont moi. Mon voisin porte directement la sienne à sa bouche et avale une grande gorgée. En face de moi, un autre garçon fait la même chose. Alors je les imite. On agit de concert, tel un banc de poissons qui se tournent ensemble, ou une nuée d'oiseaux qui décollent pile au même instant.

Au début, j'ai l'intention de boire quelques gouttes seulement, de faire semblant, pour sauver les apparences. Parce que je passe une bonne soirée, que c'est l'été et que j'en ai envie. Mais lorsque mes lèvres se posent sur le goulot, je change d'avis. Je laisse un peu de bière couler dans ma gorge. Ce goût m'est si familier que ça me paraît naturel d'y retourner, de prendre une vraie lampée. Ça pique un peu et la poitrine me brûle une seconde. En baissant la bouteille, je lâche un rot. Les autres me regardent bizarrement. L'étudiant qui partageait avec nous son anecdote marrante s'exclame :

– Tiens ! Tu aimes ça, on dirait !

Je le regarde avec des yeux inexpressifs, avant de lever le coude et de descendre une grande rasade. Ensuite, juste pour rire, je vide la bouteille. Je termine ma démonstration sur un deuxième rot.

Tout le monde trouve ça très amusant. Je me demande pourquoi. D'ailleurs je m'en fiche. Je tends la main et je m'empare de la bière de mon voisin de droite en m'écriant d'un air comique :

– Donne-moi ça, toi !

J'en siffle la moitié avant de la lui rendre. Les autres se bidonnent. C'est si drôle que ça ?

Je leur tourne le dos et je m'éloigne. Je réalise peu à peu ce que je viens de faire. J'ai bu de l'alcool, ce qui ne m'arrive plus jamais. Je ne peux pas me le permettre. On m'a interdit à vie d'y retoucher. Tant pis. J'aperçois un gobelet en plastique par terre. Il est à moitié rempli de vin rouge. Je le ramasse en me dirigeant vers le perron. Où est passé Paul ? Il a dû croiser une fille. Je lui en veux. Il n'aurait pas dû me laisser seule, surtout à une fête où je ne connais personne. Je décide que tout est sa faute.

Je m'assois sur les marches dehors. *J'ai bu.* La portée de mon geste me frappe enfin. J'ai mal au ventre mais je me sens légère et détendue. C'est une impression agréable, même si je sais ce qu'elle a d'artificiel. J'ai chaud, je suis bien, détachée, heureuse, à l'aise. Je ne veux pas gâcher ce moment, je veux en profiter. Et si je buvais plus ? Je suis *presque* bourrée, ce qui n'est pas drôle. Quitte à me faire engueuler, autant y aller à fond, autant en avoir pour mon argent.

Je finis le vin. Je regrette de ne pas avoir une cigarette ou un pétard pour occuper mes mains. Pourtant je n'ai jamais aimé fumer. J'ai dû fumer deux fois par le passé, des jours où j'étais vraiment dépouillée. Il n'empêche que si quelqu'un avait de l'herbe, ce serait cool. J'avale les dernières gouttes de vin et je retourne à l'intérieur.

Je renifle l'air en quête de shit ; j'en ai flairé plus tôt. Évidemment, maintenant, plus personne ne fume. Je vais dans la cuisine et je trouve une autre bière dans le frigo. Je dévisse la capsule. J'avais oublié la sensation coupante des petits bords en métal qui s'enfoncent dans la paume pendant qu'on tourne. Je porte la bouteille à mes lèvres et je bois, sans me presser cette fois, en dégustant, en me concentrant sur le liquide qui coule sur ma langue et dans ma gorge. J'adore ça – ce goût, cette odeur. Je savoure chaque goutte, puis je laisse retomber mon bras et j'éructe.

Quelqu'un me parle, je crois. Je n'entends pas. Je suis devenue insensible, dure comme l'acier. On ne me dit rien, à moi. Maddie le pit-bull n'a pas de patience pour les bavardages inutiles. Subitement, tous ces gens qui s'éclatent autour de moi m'énervent. Crétins d'étudiants de Reed... Et où est Paul, bordel ?

Je sais ce dont j'ai besoin. De Jack Daniel's. Je commence à fouiller parmi les bouteilles d'alcool fort éparpillées dans la cuisine. Je fouine dans les placards. Je change de pièce pour aller jeter un œil au buffet de boissons. Pas de Jack Daniel's. Il n'y a que du rhum Bacardi, alors je m'en verse un verre, je mélange avec du Pepsi éventé et je goûte mon cocktail. Je rajoute un doigt de rhum. Là je sens que ça vient. Je suis ivre juste comme il faut. Bien sûr, quelques secondes plus tard, je ressens de nouveau une pointe de frustration. Non, encore un peu plus d'alcool et ce sera parfait.

Une demi-heure plus tard, je suis franchement soûle. Soûle à rouler sous la table. Par miracle, j'arrive à sortir de la maison. Je descends le perron d'un pas chancelant et je me retrouve à déambuler au milieu de la route.

Le ciel est vitreux, étrange. Tout me semble irréel. Je me penche et je vomis sur une pelouse en me tenant les cheveux, puis je reprends mon chemin comme si de rien n'était. Je chantonne :

– *Stew-art...*

Le mot s'élève vers les étoiles ; il quitte ma bouche comme un petit nuage de buée par une journée d'hiver et flotte dans les airs.

Je laisse mes yeux se repaître du ciel nocturne. Les lumières de la ville lui donnent une drôle de lueur jaune orangé. Les lignes du paysage sont légèrement penchées et floues. Mon pied heurte le trottoir. J'ai l'impression de recevoir un coup mais non, c'est le sol : je suis tombée dans l'herbe. Je roule sur le côté et j'essaie de me relever. Mon corps ne me répond plus. Je heurte une voiture et je reste là, accrochée au rétro, à sourire en songeant à l'absurdité de la situation.

– *Stew-art...*

2

Plusieurs heures plus tard, je parviens à appeler Stewart. Je ne veux pas être secourue. Je lui téléphone juste pour rigoler. Et pour l'avoir rien qu'à moi un moment. Et aussi parce que je ne sais pas où je suis et qu'un gars flippant m'observe depuis le seuil d'une épicerie de quartier.

Je m'assois sur le trottoir en face d'une pizzeria. J'ai revomi. Je me sens hébétée, stupide. J'ai encore envie de boire mais je sais que la fête est terminée. Cet orage qui est arrivé de l'est, ou d'ailleurs – il est passé maintenant. Et il m'a laissée triste, en pleurs, bourrée et pathétique, comme je l'ai toujours été et comme je le serai toujours. Il faudrait que quelqu'un me tire dans la tête. Il suffit de regarder ce qui arrive autour de moi... Ashley... Je l'ai laissée mourir... Trish, je n'ai pas trouvé la force de l'aider... Même Stewart, je l'ai lâché, alors que je l'aimais plus que tout au monde...

Stew-art...

3

Stewart apparaît sur le trottoir d'en face. Il est descendu d'une vieille Ford Fiesta qui doit appartenir à Kirsten. Lorsque je le vois traverser la rue, je fonds en larmes.

Il s'assoit par terre à côté de moi.

– Eh ben, regarde-toi, dit-il en passant un bras autour de mes épaules.

Je pleure de plus belle. Alors il me serre contre lui et j'enfouis mon visage sous son aisselle humide. Son odeur est si familière. Pour moi elle est synonyme de sécurité, de compréhension et d'amour.

– C'est pas grave, Maddie, murmure-t-il. Ça peut arriver...

Je sanglote, blottie contre son torse. Je ne peux plus m'arrêter. Il y a tellement de choses qui ont besoin de sortir de ma poitrine. Je ne les retiens pas.

4

Je me réveille dans un lit inconnu le lendemain matin, seulement vêtue de mon slip et de mon T-shirt. Je me redresse en regardant autour de moi et je reconnais l'appartement sale de Stewart et Kirsten.

Je ne le vois pas, lui. Mais Kirsten est assise sur le canapé, emmitouflée dans une couverture. Elle a dû dormir là puisque j'ai piqué leur lit. J'aperçois par terre un sac de couchage récupéré dans les surplus de l'armée, dans lequel Stewart a passé la nuit.

La première chose qui me vient à l'esprit, c'est que mes parents vont me tuer. Pourquoi Stewart ne m'a-t-il pas ramenée chez moi ?

– Salut, me dit Kirsten d'une petite voix.

– Où est Stewart ?

Une douleur sourde explose dans mon crâne. Ma bouche est sèche et pâteuse. Je me sens déshydratée.

– Il est parti chercher du café.

– Quelqu'un a appelé mes parents ?

Elle hoche la tête.

– Stewart s'en est chargé.

Je suis soulagée. Je jette un coup d'œil vers la kitchenette. J'ai l'impression d'avoir les tempes serrées dans un étau.

– Vous n'avez pas de café ici ?

– Il voulait en prendre au Starbucks. Il a dit que tu appréciais le bon café.

– Oh.

Elle me sourit poliment. C'est une fille douce, un peu étrange, aussi timide qu'une souris.

– En tout cas, merci de... de m'avoir accueillie...

Je contemple leur studio. Kirsten ne bouge pas. Je me mets à sa place, ça ne doit pas être drôle de voir l'ex de son amoureux débarquer à la maison. Sait-elle que Stewart et moi, on s'aime encore ? Elle doit s'en douter, c'est obligé.

La porte s'ouvre et Stewart fait irruption. Il porte trois gobelets de Starbucks empilés les uns sur les autres.

Il m'en donne un, tend le deuxième à Kirsten et garde le dernier pour lui. Puis il s'assoit en tailleur sur le sol et attaque son café.

– Vous n'avez pas de table ici ?

Non, ils n'ont ni table ni rien qui puisse servir de table.

– J'ai téléphoné à tes parents, m'informe Stewart.

– Qu'est-ce qu'ils ont dit ?

– Rien. Je les ai informés que tu passais la nuit ici.

– Tu as précisé que j'étais bourrée ?

– Non, juste que tu t'étais endormie. Je crois qu'ils étaient un peu inquiets.

Pile à ce moment-là, mon portable sonne. Stewart le sort de sa poche et me le tend. C'est ma mère.

– Salut, maman.

– Chérie ! Dieu merci. Où es-tu ? Que s'est-il passé ? Paul a appelé à la maison la nuit dernière. Il ne savait plus où tu étais.

– Oui. On s'est perdus de vue à la fête.

– Ensuite on a eu Stewart, qui nous a dit que tu ne te sentais pas bien.

– Oui. J'ai trop bu.

– Tu quoi ?

– J'ai bu. J'ai trop bu. J'ai... je ne sais pas pourquoi, j'ai picolé. Stewart est venu me chercher.

– Oh, Maddie ! C'est terrible. Où es-tu ?

– Chez Stewart.

– On arrive tout de suite. Ne bouge pas. Quelle est l'adresse ?

– Ça va aller, maman. Il n'y a pas d'urgence. Je suis très bien où je suis pour le moment.

– On vient te récupérer.

– Stewart n'a rien bu, lui. Il est avec moi. Ne vous inquiétez pas. Je serai rentrée d'ici une heure.

– Chérie, s'il te plaît.

– Non, maman. Stewart peut me déposer. Je suis parfaitement en sécurité. Attendez-moi.

– Oh, Madeline ! Ne bois plus. On peut te renvoyer à Spring Meadow. J'appellerai le docteur Bernstein !

– Maman, arrête ! Ça va, d'accord ? Je suis là dans une heure.

– Qu'est-ce que tu foutais toute seule chez ces étudiants, pour commencer ? me dit Stewart lorsque nous quittons son immeuble.

Kirsten marche un peu derrière nous, pour nous laisser discuter.

– C'était juste une soirée. Il n'y a rien de mal à aller à une soirée. Je pars à la fac dans six semaines. Je ne vais pas rester cloîtrée.

On monte en voiture et on traverse la ville en silence. Il fait chaud. Kirsten baisse sa vitre pour laisser un courant d'air rafraîchir la banquette arrière.

Stewart est en colère. Plusieurs fois, il commence une phrase puis se ravise. Il s'éclaircit la gorge et se lance enfin :

– Tu sais ce qu'il te reste à faire, hein ?

– Non, quoi ?

– Il faut que tu ailles aux réunions des AA.

Je ne réponds pas. Je n'ai jamais été une grande fan des Alcooliques anonymes.

– Je sais que tu penses que ça craint, continue-t-il.

– Je n'ai jamais dit ça.

– Tu dois y aller. Et suivre tous leurs conseils, même si tu as l'impression que c'est n'importe quoi. Tu dois te lier avec des gens, prendre un parrain, faire du bénévolat... Participer aux soirées Bowling Sans Alcool.

– Des soirées bowling ? Tu plaisantes ?

– Et alors ? Tu faisais bien les soirées ciné à Spring Meadow. Tu n'étais pas trop snob pour ce genre de trucs à l'époque.

– Si. D'ailleurs, j'y allais uniquement par provocation.

– Eh ben va au bowling par provocation. Et aux réunions aussi. Ça n'a aucune importance. Tant que tu y vas. Tous les jours. Deux fois par jour.

– Impossible.

Il tourne la tête vers moi.

298

– Si tu ne m'écoutes pas, tu risques de tout perdre. Et tu en as, des choses à perdre.

– Oh non.

Il ne réagit pas. Il sait très bien qu'il a raison. Évidemment qu'il a raison.

5

Mes parents sont morts d'angoisse. Ils sortent de la maison en courant à notre arrivée. Ma mère me serre dans ses bras tandis que mon père, le portable à l'oreille, essaie de joindre Cynthia, mon ancienne psy. Apparemment, elle ne travaille plus à Spring Meadow.

Une fois à l'intérieur, Stewart m'aide à les convaincre que je n'ai pas besoin de retourner en cure.

– OK, j'ai fait une boulette.

Ils ne comprennent pas ce que j'entends par là.

– Une petite rechute passagère. Je vous jure que je ne vais pas craquer. Il faut juste que j'assiste aux réunions des AA.

– Tu y es déjà allée.

Je rétorque d'un ton grincheux :

– Oui, mais maintenant je vais y aller... tout le temps. C'est par là que j'aurais dû commencer.

Mes parents sont stupéfaits.

L'atmosphère se décontracte un peu. Papa et maman voient bien que je ne me suis pas changée en zombie. Que je n'ai pas perdu la boule.

Ça m'amuse beaucoup de les voir se répandre en remerciements auprès de Stewart. Papa lui serre la main. Maman lui donne une accolade chaleureuse. Le motard qui a décroché de l'école a sauvé leur précieuse fille. Rien que pour ça, je suis presque contente d'avoir vécu les événements de la nuit dernière. Presque.

Stewart et Kirsten doivent partir. Je les prends dans mes bras en promettant de leur donner des nouvelles, puis maman les raccompagne à la porte.

Tandis que je monte l'escalier pour gagner ma chambre, la sonnerie de l'entrée se met à vibrer.

Je redescends pour ouvrir et je tombe sur Kirsten. J'ai laissé mon portable dans leur voiture.

– Tu as oublié ça.

– Merci. Et merci encore pour cette nuit.

– Pas de problème. (Elle semble hésiter un moment.) Il y a autre chose...

– Oui ?

Très embarrassée, elle finit par me dire :

– Stewart m'a raconté que tu... que tu lui avais sauvé la vie un jour. À Redland.

Je la dévisage.

– Non, je ne lui ai pas sauvé la vie. Je l'ai ramené chez lui. Comme il vient de le faire pour moi.

– Sauf que dans ton cas, ça aurait pu t'ôter toute chance d'aller à la fac.

– Je suis inscrite à la fac maintenant. Ne vous tracassez pas pour moi.

– Je voulais quand même te... te remercier, insiste-t-elle, gênée. De tout ce que tu as fait pour lui. Je l'aime tellement. Et il m'a tant apporté.

Je ne tiens vraiment pas à avoir cette conversation avec elle. Mais je m'efforce de rester gentille.

– Je suis contente pour vous. Je crois que tu le rends très heureux.

Je ne suis pas sûre de le penser sincèrement, mais quelle importance ?

Son visage s'illumine. Elle me prend la main, la serre, et retourne vers la Ford Fiesta en courant comme une petite fille tandis que Stewart, impatient, fait rugir le moteur.

Après leur départ, je monte dans ma chambre et j'allume mon ordinateur pour chercher les adresses des réunions d'Alcooliques anonymes les plus proches.

6

C'est ainsi qu'un an après m'être ennuyée comme un rat mort au centre universitaire de Portland, je passe un été encore plus pénible à enchaîner les réunions des AA.

J'y vais tous les jours, à midi et en fin de journée. Entre les deux, je m'attable un moment toute seule dans un café.

Je m'y rends en avance. Je me présente aux autres. Je balaie le sol et j'aide à empiler les chaises. Je noue des relations. Je côtoie Claire, qui fait de la poterie et du yoga tous les matins à cinq heures. Missy, qui est caissière à Safeway et souffre de calvitie féminine. Et Brooke, qui a dix-huit ans et vit dans la rue depuis que ses parents ont mis le feu à leur caravane quand leur labo de meth a explosé.

Oh, ce qu'on s'amuse. On s'amuse comme des petits fous.

Je rencontre aussi Susan, une femme au foyer qui veut devenir ma marraine. Si bien que je suis obligée de passer du temps avec elle et de lui téléphoner tous les quatre matins.

Ça me gonfle prodigieusement. Mais je m'exécute quand même. Après tout, je n'ai pas grand-chose d'autre à faire.

En revanche, les réunions des Jeunes AA – celles où Trish allait et que Stewart continue de fréquenter régulièrement – sont sympas. J'y suis tous les lundis à sept heures.

On y rigole bien. Tout le monde fait le clown et raconte des trucs énormes. Il y a une bande de skaters plutôt beaux gosses qui s'attirent toujours des ennuis. Ils se ramènent souvent avec des yeux au beurre noir suite à des bagarres de rue.

Ils me rappellent Jake, Alex et Raj, sauf que ce dont rêvaient mes copains du lycée, ces garçons-là le font pour de vrai. Ils montent à bord de trains en passagers clandestins pour la Californie, ils vont partout en skate-board, ils squattent une vieille maison abandonnée dans la zone industrielle. Ce sont des *bad boys* purs et durs.

Évidemment, j'ai hyper envie de m'incruster dans le groupe. Je me lie avec une dénommée Antoinette, qui est copine avec eux. On traîne un peu ensemble, elle et moi. Elle est couverte de piercings, fume comme un pompier – et pas seulement des cigarettes –, mais on s'entend bien.

Les skaters me remarquent à peine jusqu'à un soir où, tandis qu'on bavarde sur le parking, je mentionne par hasard le nom de Stewart. Ils le connaissent tous ; c'est un peu leur idole. Je gagne des points d'un coup. Pour plaisanter, je leur raconte que j'étais amoureuse de lui. Ils éclatent de rire en répondant que toutes les filles sont dingues de Stewart. J'hésite à ajouter que j'étais *vraiment* amoureuse de lui, qu'on est même sortis ensemble, mais je ne vois pas l'intérêt alors je me tais.

Ils nous invitent à venir faire du skate avec eux et on finit par sillonner la ville jusqu'à quatre heures du mat'. Au bout du compte, c'est ma meilleure nuit de tout l'été et désormais, chaque semaine, j'attends le lundi soir avec impatience.

Mais à ce moment-là, c'est déjà presque la rentrée.

Huitième partie

1

Fin août, je commence à préparer mes bagages et à acheter des affaires de toilette. Je pars bientôt pour l'université du Massachusetts. Je me sens toute bizarre en l'annonçant autour de moi. Ça ne me vient pas encore naturellement.

La veille de mon départ, ma mère m'offre une surprise : un horrible pull à capuche avec les lettres U MASS sur le devant. Il est arrivé par FedEx. Apparemment, elle n'a pas remarqué que je n'avais pas la mentalité *corporate*. Je fais semblant de le glisser dans mes affaires et puis, dès qu'elle a le dos tourné, je le planque derrière une pile de vieux T-shirts au fond de mon placard.

Le jour J, mes parents m'emmènent à l'aéroport. Je contemple le paysage par la vitre tandis que la voiture longe une longue bande d'herbe parfaitement tondue. On cogite quand on va à l'aéroport. On s'interroge sur son avenir.

À l'intérieur du terminal, j'aperçois d'autres jeunes étudiants. Ils sont nombreux à porter des pulls avec le nom de leurs facs dessus : université de Boston, de Washington, de l'Arizona...

– Tu vois ? Tu aurais dû mettre le tien ! dit ma mère.

Arrivés devant le portique de sécurité, mes parents ont la larme à l'œil. Ils sont heureux pour moi mais au fond de leur cœur, ils sont sans doute terrifiés. Ils ne connaissent pas le service de police du Massachusetts. Ni le bureau du shérif. Pas plus que les numéros des centres de désintoxication, des hôpitaux psychiatriques, ou les noms de bons médecins.

Qui appelleront-ils si je ne rentre pas chez moi le soir ? Le sauront-ils seulement ?

Ils prennent un énorme risque. Nous prenons tous un gros risque.

2

Dix heures plus tard, je suis sur le campus. Sonnée par le décalage horaire, le regard vitreux, je tire ma valise à roulettes en sentant sur ma peau l'air moite de la côte Est.

U Mass est une énorme fac publique entourée par un groupe de petites universités d'élite. C'est justement ce qui m'a attirée ici : il existe un programme d'échange entre elles. Si tu vas à U Mass, tu peux aussi suivre des cours à Smith ou Amherst, et goûter au prestige des grandes écoles.

En sortant du bureau des inscriptions, je cherche ma chambre et je rencontre mes colocs. Ce sont mes parents qui ont eu l'idée de la colocation – pour ma sécurité. Je partage une piaule avec deux filles de Boston. J'ai l'impression qu'elles ne sont pas très studieuses. Elles sont surtout intéressées par les garçons, les people et les émissions de téléréalité. Elles se prennent une cuite tous les jeudis soir, ainsi que les vendredis, les samedis et souvent les dimanches aussi, en général dans le cadre de fêtes organisées par l'association des étudiants. Parfois elles sortent avec de vieux potes de lycée ou des types à la peau grasse qui portent le maillot des Celtics et débarquent dans des Honda Civic tunées.

Je décide de m'en accommoder du mieux que je peux. Dès que j'ai pris mes repères, je m'attaque à l'organisation. Je me présente au bureau des étudiants pour obtenir des conseils. Après deux impasses, je finis par tomber sur une femme appelée Marianne, à qui je déballe toute mon histoire. On discute pendant une heure. Elle comprend très bien ma situation et m'aide à élaborer une stratégie. Selon elle, je pourrais postuler pour un transfert à condition de bosser comme une folle en première année. En attendant, elle m'obtient des formulaires de dérogation afin que je puisse m'inscrire à certains cours dans les autres écoles.

Il y en a un qui m'intéresse particulièrement au Smith College. Il est consacré à Sylvia Plath. La prof, Sarah L. Slotnik, a écrit un livre sur elle qui est devenu un best-seller dans le monde entier.

Marianne cherche des solutions pour que je puisse le suivre au dernier trimestre. Je suis super excitée. Il ne me reste qu'une chose à faire : aller trouver le professeur Slotnik et obtenir sa permission.

3

Je pars donc aussitôt à la recherche du professeur Slotnik. Je prends la navette qui fait le tour des différentes écoles et je descends devant Smith.

Au début je suis perdue. Heureusement, j'avais prévu de la marge : il me reste une demi-heure avant l'ouverture du bureau du professeur. J'en profite pour me balader.

Le campus de Smith est très snob et élégant. Les bâtiments anciens sont fraîchement repeints et couverts de lierre, comme sur les vieilles photos. Il y a des sentiers de promenade parfaitement entretenus qui serpentent entre des petites cours en pierre et mènent jusqu'à un lac au pied de la colline.

On ne peut pas confondre les étudiantes de Smith avec celles de U Mass. Les premières respirent l'intelligence et la sophistication. On dirait qu'elles reviennent de Paris, ou du Pérou, et qu'elles ont fait le tour du monde. Pour elles, aller à Smith n'est pas un rêve devenu réalité ; il s'agit d'une étape normale dans leur parcours. Elles sont ici chez elles.

Je jette un œil aux livres qu'elles portent sous le bras. Je regarde leurs chaussures. Je les écoute parler. J'ai l'impression d'être une étrangère, une intruse. Je me sens encore moins à ma place qu'à Spring Meadow.

Mais je rassemble mon courage. Je dois parler à Mme Slotnik. Même si j'ai le trac maintenant que j'ai croisé les autres étudiants, je sais que je peux y arriver. Je me sens assez sûre de moi.

Je pénètre dans le département d'anglais. Une secrétaire m'informe que le professeur Slotnik me recevra dès que possible. Je m'assois sur une chaise luisante, en acajou massif sûrement. Tout l'étage a l'air d'un décor de série télé, genre drame historique. Il n'y a pas un grain de poussière et les fenêtres brillent comme si elles venaient d'être astiquées par des bonnes.

Bien que ce soit un peu intimidant, je tente de tourner ma peur à mon avantage : je suis une challenger, une outsider remontée à bloc et bourrée de bonnes intentions qui travaillera d'arrache-pied pour peu qu'on lui laisse sa chance.

La secrétaire me fait signe d'entrer. Je m'approche de la porte d'un pas hésitant et je jette un œil à l'intérieur. Le professeur Slotnik est en train de lire, assise derrière son bureau.

– Oui ? dit-elle en levant les yeux. Je peux vous aider ?

J'ouvre la bouche pour parler mais je suis incapable d'articuler le moindre son. Mme Slotnik ressemble à une star de cinéma. Non, elle est *mieux* qu'une star de cinéma. Elle a un regard bleu très vif, des lèvres pleines et une coiffure stylée. Au lieu de la vieillir, ses cheveux blancs lui donnent un côté sexy. Enfin, sa peau est miraculeusement épargnée par les ans.

– Oui ? répète-t-elle avec majesté.

– Euh... oui. Je voulais... vous demander...

– Entrez, je vous en prie.

Elle désigne la chaise face à elle. Je m'assois en essayant de reprendre mes esprits. Comment m'adresser à cette femme?

– C'est à quel sujet? continue-t-elle.

– Je... euh... je voudrais suivre votre cours? Sur Sylvia Plath?

Sarah L. Slotnik me fixe avec intensité. Son visage est si parfaitement dessiné que je me sens presque indigne de le contempler.

– Vous êtes inscrite à Smith?

– Euh... non. À U Mass.

– U Mass? s'exclame-t-elle avec surprise. Eh bien, vous devez comprendre que ce cours est réservé aux étudiants de Smith. Ils sont prioritaires.

– Je sais, mais c'est que... enfin... c'est pour ça que...

– S'il nous restait des places, ce qui n'est pas le cas, les étudiants de Smith inscrits sur liste d'attente seraient les premiers servis.

– Oui, je sais...

– Les vingt places sont déjà occupées, insiste-t-elle d'un ton un peu irrité, agacée que je lui fasse perdre son temps. Et dans la mesure où la liste d'attente comporte plus de cent noms, je ne peux absolument rien pour vous.

– Et... et l'année suivante? je bredouille. Je pourrais m'inscrire dès maintenant pour l'année suivante?

– L'an prochain, je passe une année sabbatique à Vienne.

J'ai envie de m'écrier: «Mais je lisais Sylvia Plath en cure de désintoxication! J'ai traversé des moments difficiles. Je suis différente des autres, je suis intéressante, j'ai souffert!»

– Vous avez une autre question ? ajoute-t-elle, glaciale. Je suis assez occupée.

– Non, c'était tout.

Je manque de me cogner dans le cadre de la porte sur le chemin de la sortie. Je descends l'escalier en titubant et je quitte le bâtiment.

J'avais l'intention de déjeuner dans le foyer universitaire de Smith mais j'y renonce. Je file tout droit à l'arrêt de bus et je m'écroule sur le banc.

À mon retour, mes colocs sont en train de se mettre du vernis sur les ongles de pied en regardant un feuilleton judiciaire.

Bien qu'il soit trois heures et demie, je me glisse dans mon lit, je remonte la couverture sur ma tête et je me tourne face au mur.

Mon portable sonne dans mon sac à dos. C'est sûrement mes parents ; je leur ai parlé de mon « grand rendez-vous » avec le professeur de Smith.

Erreur. Si incroyable que cela puisse paraître, je viens de recevoir un message vocal de Kirsten. Elle veut savoir si j'ai des nouvelles de Stewart.

Évidemment que non.

Je balance le téléphone dans le sac et je roule sur le côté.

– Kesquiya ? s'enquiert une de mes colocs de sa voix gutturale – elle a un accent de Boston à couper au couteau.

– Rien.

4

Kirsten me retéléphone ce soir-là. Je me trouve dans une salle d'études située au sous-sol des locaux de l'association des étudiants. Alors je sors pour prendre l'appel.

– Salut Kirsten. Ça va?

– Excuse-moi de te déranger. Est-ce que, par hasard, tu aurais des nouvelles de Stewart?

– Non. Pourquoi?

– Il n'est pas rentré à la maison hier soir.

Je m'arrête en haut de l'escalier, face à l'immense cour carrée qui sépare les différents bâtiments de la fac.

– Il t'a dit où il allait?

– Non.

Un groupe d'étudiants en anorak passe tranquillement sous mes yeux.

– Tu connais les mecs.

– Tu n'as eu aucune nouvelle de lui? insiste-t-elle.

– Non, pas depuis l'été dernier.

– C'est bizarre. Je suis rentrée du boulot et il n'était pas là. Bon, ça arrive. J'ai fini par aller me coucher en me disant qu'il n'allait pas tarder à revenir et...

– Curieux.

– Oui. Je commence sérieusement à m'inquiéter. Il n'est pas chez sa sœur non plus.

– Tu as essayé chez son père ?

– Je n'ai pas le numéro. Tu l'as ?

– Non.

– Ce n'est sûrement pas grave. Il a dû partir s'amuser quelque part. Avec ses potes skaters, peut-être. Comment ça va pour toi ? La fac ?

– Ça va.

– Tant mieux. Sinon, on s'en sort pas mal, tu sais. Enfin, c'est ce que je croyais. Tu penses que Stewart...? Tu crois qu'il serait capable de... disparaître comme ça ?

– Aucune idée, Kirsten. Tout est possible.

– D'accord, notre appart est petit et tout...

– Honnêtement, je ne sais pas. Je suis à presque cinq mille kilomètres.

– Oui, OK. Pardon de t'avoir dérangée.

– Pas de souci.

5

Malgré un premier mois pas terrible, je commence à apprécier U Mass. Un cours de cinéma que je trouvais nul au début se met à devenir amusant à partir du jour où on visionne *Shampoo*. Je me fais deux copines dans cette classe et on traîne un peu ensemble.

Je me joins à un groupe d'AA dans lequel je rencontre Gina, une étudiante en troisième cycle d'études de l'environnement. Elle est rigolote et on part ensemble deux fois à Boston assister à des concerts d'un groupe de bluegrass qu'elle connaît. Je crois qu'elle est en train de devenir ma nouvelle meilleure amie. On se voit beaucoup – on se promène en voiture, on assiste aux réunions des AA, on passe des heures à se plaindre des mecs, de la fac et de tout ce qui nous vient à l'esprit.

À la fin du trimestre, Gina m'invite à séjourner une semaine à Northampton avant de rentrer chez moi pour les vacances. Je dors sur son canapé et je vis des moments géniaux avec elle. On bosse pendant deux jours à la librairie Village Books. L'essentiel du boulot consiste à déballer les commandes de Noël. J'adore la librairie et ses employés. Le responsable du magasin me propose d'y travailler à temps partiel le trimestre prochain. Ça me remonte bien le moral.

Peut-être que je n'ai pas besoin de ressembler à ces étudiantes glamour de Smith. Je pourrais simplement rester moi-même et mener une existence de libraire sur la côte Est. Je crois que ça me conviendrait pas mal.

6

Je prends l'avion pour rentrer chez moi à Noël. Papa et maman viennent me chercher à l'aéroport. Ils sont excités de me revoir. Ils m'examinent sous toutes les coutures, me questionnent. Je lis un certain étonnement dans leurs yeux. « Dis donc, comme elle a changé ! » Quel drôle de truc, être parent.

Les deux premiers jours, je ne réponds à aucun message. J'en ai pourtant reçu des tas – Martin, Emily, Tara Peterson, Kirsten et même Simon, qui va à Reed maintenant, ont tenté de me joindre. Mais j'ai besoin d'une période de décompression. J'ai juste envie de dormir, de prendre des bains et de passer du temps avec mes parents.

Une fois Noël terminé, je rappelle tout le monde. Sauf Kirsten. Et Stewart. C'est clair qu'il y a un problème entre eux. Peut-être qu'ils sont séparés. Au fond, ça ne me regarde pas.

Je préfère sortir avec d'autres jeunes étudiants. Je bavarde longuement avec Martin. Il aime Stanford même si la rentrée a été un choc pour lui. Il n'est plus le seul génie dans son monde maintenant.

On se rend à une fête chez Tara Peterson. Elle est égale à elle-même : chiante. Grace débarque et se prend pour l'invitée de marque de la soirée. D'autres ex-lycéens d'Evergreen se pointent. C'est drôle de constater que chacun s'est transformé pour s'adapter à son université...

J'appelle Simon et on va boire un café. C'est de loin mon rendez-vous le plus intéressant. Je lui parle d'U Mass et de mon entrevue calamiteuse avec le professeur Slotnik. Ça le fait beaucoup rire.

– Considère ça comme un rite d'initiation, me dit-il. Ils ne peuvent pas te laisser entrer aussi facilement dans leur club. Ils doivent te bizuter d'abord.

– Elle était tellement supérieure ! À tous points de vue.

– Tu sais, ces gens qui ont l'air hyper équilibrés ont leurs doutes comme tout le monde. Peut-être même plus. Tu es largement aussi intelligente qu'eux.

– Impossible que je sois aussi intelligente qu'elle !

– Bien sûr que si. Attends. Tu verras.

Je me sens un peu mieux après cette discussion. Motivée pour retourner à la fac.

J'apprécie Simon de plus en plus – et pas juste parce qu'il me flatte. Il est cool. Il a une conversation agréable.

Je crois que j'ai un petit faible pour lui.

7

En janvier, j'attaque mon deuxième trimestre à U Mass. J'ai amélioré ma stratégie et j'arrive à m'inscrire dans un bon cours de littérature russe.

À mesure que passent les semaines, j'obtiens une nouvelle occasion de côtoyer les élèves de Smith : Gina a un ami qui est maître de conférences là-bas et on est invitées à plusieurs cocktails.

Mieux encore, je suis un cours de religion comparée très prisé à Mount Holyoke. Je réalise un rêve : je me retrouve entourée de filles intelligentes et prétentieuses habillées de pulls roses, qui lèchent les bottes de leur professeur adulé, lequel prend un malin plaisir à étaler sa science et à parler de lui pendant des heures. Comment ai-je pu penser un seul instant que ça me rendrait heureuse ? On se le demande. Je choisis d'en rire. Ça nous procure un excellent sujet de plaisanteries, à Gina et moi.

Quand l'été arrive, Gina insiste pour que j'aille habiter avec elle et d'autres copains de fin de cycle dans une vieille maison de Northampton. Je demande à mes parents. Ils sont bien sûr sceptiques et inquiets, mais je leur rappelle que j'ai maintenant dix-neuf ans. Cela fait trois ans que je n'ai pas eu le moindre ennui. Je ne bois pas. J'ai des bonnes notes. Je suis, en définitive, une personne sensée et responsable.

Ils finissent par donner leur accord et dès que les cours sont terminés, j'emménage chez Gina. Je passe un été fantastique. Je travaille à temps partiel à Village Books et je consacre le reste de mes journées à sortir avec Gina. On fait la fête, on assiste à des concerts et on déguste des thés glacés dans l'air humide des chaudes soirées d'été.

Mes parents tiennent quand même à me voir, alors je rentre une semaine fin août. Malheureusement, il n'y a pas grand monde dans le coin. J'appelle Simon et on fait une longue randonnée tous les deux. En dehors de ça, l'ambiance est très calme.

Neuvième partie

1

C'est ainsi qu'une année entière s'écoule sans que j'entende parler de Stewart et Kirsten. Parfois je repense à l'appel de Kirsten. Ils ont dû rompre. La pauvre. Je plains toutes les personnes qui sont tombées trop amoureuses de Stewart.

Non que ma situation sentimentale soit plus glorieuse que la sienne. J'ai rebaptisé le début de ma deuxième année à la fac « la période du plan foireux ». Trois garçons différents m'ont proposé un rendez-vous dès la semaine de la rentrée. Michael, un étudiant de troisième année très mignon, se révèle au bout du compte falot et étouffant. Le second, qui est en deuxième année comme moi, est guitariste dans un groupe tellement mauvais que c'en est embarrassant. Le troisième, un informaticien que j'ai rencontré à Village Books, est plutôt beau garçon. On va jusqu'à échanger un baiser – ce qui me rappelle à quel point c'est agréable de recevoir de l'affection – mais au bout du compte, ça ne fonctionne pas non plus entre nous.

Je n'ai pas sitôt tourné la page que de nouveaux prétendants apparaissent. Je suis un peu décontenancée. Je n'avais jamais été populaire avant. Jamais des garçons ne s'étaient bousculés autour de moi avec des étoiles plein les yeux. C'est pourtant ce qui m'arrive maintenant. Soit je ne le remarquais pas avant, soit j'ai tout simplement cessé d'être toxique pour les autres. J'ai peut-être guéri d'une certaine façon, sans m'en apercevoir.

Il y en a un dont je ne me plains jamais de recevoir des nouvelles : Simon. Il commence à m'envoyer des mails à l'automne et on se parle au téléphone de temps à autre. Une véritable amitié naît entre nous et il est la première personne que j'appelle en rentrant chez mes parents pour les fêtes de fin d'année.

On se donne rendez-vous à Nordstrom deux jours avant Noël. On s'installe au café à l'étage, au milieu des vieilles rombières, et on discute gaiement de nos vies d'étudiants. Ses amis préparent une grosse fiesta pour le Nouvel An et il veut que je vienne. Je lui dis :

– Tu te souviens que je ne bois pas, hein ?

– Et alors ? Moi non plus, je ne bois presque pas. Surtout le soir du Nouvel An. Je déteste le champagne.

Je souris. Simon est génial. Il a le don pour prononcer les paroles qu'il faut au bon moment. Et s'il devenait mon premier petit ami de la fac ? Gina n'arrête pas de me répéter qu'il faudra bien que je finisse par aimer quelqu'un, un jour.

On remonte côte à côte le trottoir devant Nordstrom. Il fait froid. Quelques minuscules flocons de neige flottent au-dessus de nos têtes. Des guirlandes de Noël brillent sur les réverbères.

Je mets mon bonnet. Simon enfile ses gants. C'est alors que j'aperçois un petit groupe de zonards de l'autre côté de la rue, sur Pioneer Square. Il y a Jeff Shit parmi eux. Enfin, je crois. Je ne vois pas très bien. Je repère une autre silhouette familière. Un grand gars maigre. Je ne distingue pas son visage mais son allure me rappelle quelque chose...

– On va s'éclater, me dit Simon. Et je voudrais que tu rencontres mes potes. Tu vas adorer Josh et les autres.

Tout en scrutant le type sur le trottoir d'en face, je réponds d'un ton distrait :

– Oui, je suis sûre que ça va être sympa.

– Qu'est-ce que tu en dis ? Tu viens ?

Soudain, le mystérieux garçon se tourne vers nous et la vérité me frappe enfin.

C'est Stewart.

J'en ai le souffle coupé. Nos yeux se croisent. On est si choqués et surpris tous les deux qu'on reste figés sur place. Mon cœur fait un bond dans ma poitrine. J'ai envie de courir vers lui et de me jeter à son cou.

Mais il a tellement changé. Ses cheveux, de nouveau blond platine, encadrent un visage creusé et émacié. Il porte un manteau sale. Une bouteille de whisky bon marché dépasse de sa poche.

Je suis gênée. Horrifiée. Je ne sais ni comment réagir ni où poser mon regard. J'ai l'impression que mon cœur a cessé de battre.

– Maddie ? fait Simon. Qu'est-ce qu'il y a ?

Je dois m'en aller. Je pivote sur mes talons et je pars dans la direction opposée. Je marche à toute vitesse, sans même m'arrêter au feu. Une voiture pile en klaxonnant.

Simon se faufile au milieu du trafic pour me suivre. Il jette des coups d'œil autour de lui en essayant de comprendre ce qui vient de se passer.

– Maddie ? hurle-t-il. Maddie ! Attends !

Je l'entends me courir après. Sans ralentir, je lui crie :

– Je dois rentrer. J'ai un truc à faire, j'avais oublié.

– Qu'est-il arrivé ? Quel est le problème ?

Je continue droit devant. Je suis à deux doigts de fondre en pleurs. À l'intersection suivante, j'aperçois la Volvo de ma mère. Je sèche mes larmes avec les manches de mon manteau tandis que Simon me rattrape enfin.

– Maddie… ?

– Ce n'est rien. Je vais bien. Excuse-moi.

– Non, c'est pas grave, dit-il essoufflé. Tu m'as juste fait peur.

– Je dois partir.

Je déverrouille ma portière en m'essuyant de nouveau les yeux.

– Sérieusement, Maddie, qu'est-ce qu'il y a ? Tu peux m'expliquer ?

– Tout va bien. Je t'appellerai au sujet de la fête.

Là-dessus, je monte dans ma voiture et je claque la portière derrière moi.

Comme Simon me fixe d'un air stupéfait, je baisse la vitre et je lui dis :

– Je suis désolée. Parfois, j'ai des coups de stress pendant les vacances.

Quoique déconcerté, il semble accepter mon explication.

J'allume le moteur et il recule de quelques pas.

– Tu me téléphoneras ? demande-t-il.

Je hoche la tête et j'attends qu'il s'éloigne en faisant comme si j'allais démarrer.

Une fois qu'il a disparu, je coupe le contact. J'appuie mon front sur le volant. Je ferme les paupières, je respire à fond et je tente de donner du sens à ce que je viens de voir.

2

Je rentre chez moi, où je passe le reste de la soirée hébétée, les yeux rivés sur l'écran de télé, pendant que mes parents s'affairent autour de moi.

Je ne leur dis rien. Je n'ose pas.

Je prends un bain chaud, je me brosse les dents dans ma salle de bains bien éclairée et je me glisse entre mes draps en lin tout propres.

Dehors il fait froid et il pleut. Stewart est quelque part à l'extérieur, en train de dormir sur le ciment.

Je n'arrête pas de m'agiter et de me retourner dans mon lit. Je me lève à deux heures du matin pour appeler Susan, mon ancienne marraine des AA.

Elle était endormie mais elle se réveille aussitôt en entendant ma voix.

Elle m'écoute et me parle pendant une bonne heure. Même si elle comprend la situation, elle s'inquiète beaucoup pour moi.

– Je sais, Susan. Et pourtant je dois y aller. Il faut que j'essaie de le trouver.

Elle me rappelle le scénario de l'homme qui se noie : tu

essaies de sauver quelqu'un de la noyade mais cette personne s'accroche à toi, se cramponne et t'entraîne au fond avec elle.

Et on se retrouve avec deux noyés sur les bras.

3

Tant pis. J'y vais.

Le lendemain, j'enfile des vêtements adaptés au temps : un jean, un pull épais et ma parka imperméable. Puis j'emprunte la voiture de maman pour aller en ville.

Qu'est-ce que je pourrais dire à Stewart ? Je n'en ai pas la moindre idée. Je m'en veux maintenant de ne pas avoir rappelé Kirsten l'an passé. J'aurais dû me tenir au courant.

Je me gare et j'arpente les rues autour de Pioneer Square. C'est là que traînent les marginaux en général. D'ailleurs j'en vois aujourd'hui – ils sont là, en petits groupes, comme des portées de chiots abandonnés.

Je traverse la place et je continue en direction du centre, où se trouve le magasin de fleurs qui employait Kirsten. Je m'approche d'une fille en train de servir des clients.

– Vous connaissez une dénommée Kirsten ? Elle travaillait ici.

– Moi non, mais demandez à cette dame au fond du magasin.

Je me dirige vers la personne en question – une femme plus âgée qui déplace des sacs de terreau.

– Vous connaissez Kirsten?

Elle se tourne face à moi.

– Oui. Pourquoi?

– Elle travaille toujours ici?

– Non. Plus maintenant.

– Vous savez où on peut la contacter?

– À mon avis, elle a dû rentrer à Centralia.

Elle fuit mon regard. J'ai l'impression qu'elle est triste. Elle devait l'apprécier.

C'est vrai que Kirsten était une chouette fille. Je me surprends à penser : *J'espère qu'elle va bien, où qu'elle soit aujourd'hui.*

4

Une heure plus tard, je déniche Stewart sur la Promenade, au bord de la rivière.

Il est sous le pont Morrison avec quatre autres types. Assis sur un muret en ciment, ils s'abritent de la pluie. L'un d'eux a un skate-board et ils s'en servent à tour de rôle. Ils boivent des bières cachées dans des sacs en papier marron.

J'avance lentement, les mains dans les poches, mes cheveux propres bien arrangés sous mon bonnet propre.

Stewart porte des mitaines et son trench déchiré avec un pull à capuche noir dessous. Il ne me voit pas tout de suite. Il prend le skate-board des mains d'un petit Mexicain et s'élance. Il dessine des cercles sur le sol, enchaîne quelques virages secs. À un moment, il manque de tomber en arrière.

Je les observe à une distance prudente. Ce sont des streeters endurcis. Ils sont flippants.

Le Mexicain est le premier à remarquer ma présence.

– Hé, *señorita* !

Je ne réponds pas. Les autres se mettent à me dévisager, bouche bée. Stewart finit par se retourner. Quand il m'aperçoit, tout le monde se tait.

Sans me quitter des yeux, il tend la main vers sa bouteille de bière, en boit une grande gorgée et la repose sur le muret.

Il lâche un rot sonore.

– Ce n'est pas comme ça qu'on dit bonjour à une jolie *chica*! plaisante le Mexicain.

Stewart ne décroche pas un mot. Il me fixe. Il est toujours grand. Et imposant. Même s'il s'est transformé en squelette ambulant.

Il s'avance vers moi. Mon cœur s'arrête, puis repart. J'ai les pieds qui fourmillent tellement j'ai peur.

Mais je ne bouge pas d'un pouce.

– Qu'est-ce que tu veux? me demande-t-il.

– Rien. Je... voulais te voir.

– Pour quoi faire?

– Comme ça, sans raison.

Il regarde au-dessus de moi pendant un instant, l'air de se dire : « Est-ce que ça vaut le coup de perdre cinq minutes à lui parler? »

– T'as une clope?

– Je ne fume pas. Tu te rappelles?

Il m'éloigne de ses amis. On traverse une pelouse en direction de Front Avenue. Il s'arrête dans une boutique pour s'acheter des cigarettes mais il n'a qu'un dollar sur lui, alors j'en rajoute quatre de ma poche.

Il prend son paquet et m'entraîne vers un autre square, également couvert. Il semble connaître tous les endroits où on peut se réfugier en cas de pluie. Là, on s'assoit sur un banc et il allume une cigarette de ses doigts noueux et noirs de crasse.

– Je t'ai vue hier soir avec ton petit copain.

336

– Ce n'est pas mon petit copain.

Je l'examine pendant qu'il fume. Il est très sale, aussi sale que n'importe quel sans-abri. Son visage, autrefois si juvénile et insouciant, paraît ravagé. Ses yeux brillent d'une lueur inquiétante ; on dirait qu'ils vont s'embraser et brûler comme des torches.

C'est trop pour moi. Je ne peux pas le supporter. Je détourne le regard.

– Qu'est-ce qu'il y a ? me demande-t-il.

Je hausse les épaules avant de répondre, les yeux braqués au sol :

– Tu n'as pas l'air en super forme.

– Ah ouais ? Ben ma vie n'est pas *super* ces temps-ci.

– Tu ressembles à un junkie.

– Je suis un junkie. Qu'est-ce que tu croyais ?

Je reste muette.

Il continue de fumer.

On contemple sans bouger la pluie qui s'abat sur la rue.

– Toi aussi, tu as changé, affirme-t-il. Tu as l'air plus vieille.

– Je suis plus vieille.

On a profité d'une accalmie pour recommencer à marcher à découvert. Des nappes de brouillard flottent sur les collines au-dessus de la ville.

– C'est comment, la fac ?

– Ça va.

– Tu apprends des trucs ?

– Pas vraiment. Mais la vie étudiante est sympa.

Il est si maigre et famélique que je ne peux pas résister à l'envie de lui acheter à manger. L'air de rien, je m'arrange

337

pour passer devant un camion à burritos que j'ai aperçu plus tôt. Sans lui demander son avis, je m'arrête et je commande deux burritos d'un ton détaché.

– Et Kirsten ?

– Elle est partie.

– Elle m'a appelée. Il y a environ un an.

– Ouais, je sais. Elle m'a raconté que tu ne voulais pas lui parler. Que tu n'en avais plus rien à foutre de nous et de ce qui nous arrivait. Que tu t'en lavais les mains.

– C'est faux.

– C'est ce qu'elle m'a dit.

– Arrête. J'ai fait de mon mieux. Tu t'en doutes bien.

– En tout cas, elle ne jurait que par toi. Toi et tes études sur la côte Est. Elle refusait de voir la vérité. Je lui ai pourtant expliqué que t'étais née là-dedans et que ton père était un homme d'affaires plein aux as.

Impassible, je prends nos deux burritos et je les emporte jusqu'à une table abritée en espérant qu'il va manger. Je m'installe et j'en pousse un devant lui.

– Qu'est-ce que tu vas faire maintenant ?

Il ignore la nourriture. À la place, il s'allume une autre cigarette. J'insiste :

– Tu ne vas pas rester éternellement dans la rue.

– C'est clair. Il y a des gens qui crèvent dehors. Le Mexicain de tout à l'heure ? Un flic a essayé de l'écraser la semaine dernière. Il a voulu le tuer avec sa bagnole, l'ordure ! Mais on a nos trucs. On n'est pas aussi impuissants qu'on en a l'air. Ceux qui nous en font baver, ils finissent par le payer.

J'étudie ses traits tandis qu'il prononce ces mots. Je n'avais jamais entendu ce genre de propos dans sa bouche. Il n'est plus du tout le même.

Je repose mon burrito.

– Stewart ?

– Ouais ?

Je choisis mes mots avec soin, puis je m'exprime le plus clairement, et le plus calmement possible :

– Je ne sais pas trop comment tu perçois la situation maintenant. Ce que tu crois être juste, logique ou normal... rien de tout cela n'est réel. Ce n'est qu'une illusion. Tu peux te sortir de là. Tu peux retourner à Spring Meadow. Et décrocher. Tu es déjà passé par là. Ça marche.

– Non, je peux pas.

– Pourquoi ?

– Parce que. Ça ne sert qu'à retarder l'inévitable. Tôt ou tard, on se retrouve là où on est censé être.

– Mais non. Tu ne penses pas ce que tu dis. On oublie. Forcément. Cette fois où j'ai trop bu à une soirée ? Je l'ai oubliée. Et pareil pour toi avec cette nuit à Redland. Parce qu'on se serre les coudes.

Il regarde au loin.

– Stewart, tu n'es pas obligé de continuer à vivre comme ça. Ma voiture est garée à quatre pâtés de maisons d'ici. On pourrait remonter la rue, grimper dedans et rouler jusqu'à un centre de désintox. Alors ce cauchemar serait terminé. On peut y mettre fin maintenant. Il suffit de vingt minutes.

Il secoue la tête.

– Je... je peux pas.

– Pourquoi ?

– Tu m'as bien vu ?! Tu as des yeux, non ?!

J'encaisse sans sourciller cette explosion de rage soudaine. Je reste posée, patiente, lucide.

– C'est vrai que tu as une sale mine. Mais ça n'a aucune importance.

Il réfléchit. Il sait que j'ai raison. Je le lis dans ses yeux. Mon discours fait effet.

Et puis il tire sur sa cigarette d'un geste nerveux.

– Je t'ai trompée. Tu le savais ?

– Stewart, on s'en fout. Ça ne compte pas.

– Si, ça compte. Je t'ai bien baisée ! Et j'ai fait pareil à Kirsten !

– Ça n'intéresse personne.

– Kirsten ne s'en fout pas, elle. T'as qu'à lui demander. Tu n'imagines pas tout ce que je lui ai fait. Je l'ai volée. Je lui ai piqué l'argent du loyer qu'elle gagnait en vendant des fleurs. Je lui ai menti.

– Ce sont des choses qui se réparent. Mais on n'a pas envie de te voir mourir dehors. Ni elle. Ni moi. Ni les gens de Centralia. Tu te souviens d'eux ? Aux AA ? Comme ils étaient fiers de toi ? Il y a des gens qui tiennent à toi, Stewart. Des gens qui t'*aiment*. Tu en es conscient ?

Son expression change brusquement. Il est énervé. Il se dresse, jette sa clope par terre et se dirige vers la rivière à grands pas.

Je me lève d'un bond et je me dépêche de le rattraper.

– C'est Kirsten qui t'envoie, gronde-t-il.

– Non ! Pas du tout !

– Vous essayez de vous venger de moi toutes les deux. Mais je refuse d'être un pion dans votre petit jeu. Vous ne pouvez pas me contrôler.

Il fait soudain volte-face. Il a l'air possédé. Son visage n'est plus qu'un horrible masque de mépris. Il lutte contre son mauvais démon, comme on dit. Je jure que je peux voir le démon dans ses yeux. Il vocifère :

– Tu arrives, montée sur tes grands chevaux, pour m'expliquer ce que je dois faire. Et toi ? Hein ? Qu'est-ce que tu comptes faire ? Pourquoi tu ne prends pas tes responsabilités ? Les flics ont failli tuer mon pote. Ils croient que les rues leur appartiennent. Mais ils ne possèdent rien du tout !

Je reste plantée là à fixer cet inconnu, ce SDF devenu fou. Je ne le reconnais plus.

Il ne viendra pas avec moi. Il s'éloigne vers la rivière en silence et je lui emboîte le pas. J'essaie de lui donner de l'argent mais il éparpille les billets d'un revers de la main. Il m'ordonne de lui ficher la paix. Il ne veut plus jamais me revoir. Il me déteste. Il crache par terre à mes pieds.

Alors je renonce. Je le laisse partir...

5

Le lendemain, je fais une nouvelle tentative. Je me gare et je marche dans les environs de Pioneer Square. Je jette un œil du côté de la Promenade. J'aperçois des SDF, mais pas de Stewart.

J'essaie le skate park sur l'autre rive. Dans l'après-midi, je croise Jeff Shit et je l'interroge.

– Ouais, il traîne dans le coin, me répond-il, l'air de se demander ce que je lui veux avec mes questions. Je ne sais pas où il est aujourd'hui.

La plupart des gens que je rencontre essaient de m'aider. Un gamin suggère qu'il a pu quitter la ville. J'ignore si c'est vrai ou si c'est ce qu'on lui a dit de me répéter.

Je finis par abandonner et je me replie dans un Starbucks. Je prends un café et je m'assois près d'une fenêtre. D'abord j'appelle Susan, et ensuite Gina à Northampton.

– Tu dois te préparer, Maddie, me dit Gina.

– À quoi ?

– Tu sais à quoi.

Je commence à paniquer.

– Il ne va pas mourir ! Je ne l'abandonnerai pas !

– Il fera ce qu'il voudra. Et tu ne peux pas l'en empêcher.

Plus tard, en voiture, j'aperçois le Mexicain que j'avais croisé la veille sous le pont. Je klaxonne, je me range sur le bas-côté et je tente de l'aborder. Il s'enfuit à toutes jambes.

Je lui cours après. Je le pourchasse dans la rue en hurlant :

– Je suis ton amie ! Je suis la *chica* d'hier !

Mais il disparaît dans une ruelle.

Ce soir-là, je recherche les coordonnées de Kirsten sur mon ordinateur et je l'appelle chez sa mère à Centralia. Elle est enceinte de son nouveau copain. Elle n'a pas parlé à Stewart depuis un an. Elle se doute qu'il a replongé dans la drogue. Il avait quitté leur appartement et arrêté de payer les factures. Elle a été obligée de déménager.

– Il me manque quand même, avoue-t-elle d'une voix tremblante. Tu l'as revu ?

– Juste une fois.

– Il va mal ?

– Plutôt, oui.

– C'est gentil de ta part de vouloir l'aider. Je viendrais volontiers mais ma mère me déconseille de bouger. Tu sais, avec le bébé qui arrive...

– Ouais, bien sûr.

Je passe deux jours supplémentaires à errer dans le centre-ville. Stewart a clairement quitté le coin. Ou alors il s'arrange pour être introuvable. Le temps presse. Ma propre vie m'attend. Susan et Gina se montrent inflexibles à ce sujet : « Tu dois retourner à U Mass. »

La veille de mon départ, je pose ma valise sur mon lit et je commence à trier mes affaires. Une vague de terreur monte en moi. Je ne peux pas le laisser ici. Impossible.

Et pourtant mes mains continuent mécaniquement de plier et de ranger tandis que des larmes perlent à mes paupières.

6

Je suis dans l'avion pour la côte Est. Je vole au-dessus des nuages ; le bleu pur du ciel m'enveloppe, me rince et me libère de mon passé.

En tout cas, c'est ce que je ressens.

Gina vient me chercher à l'aéroport. Que dire ? Elle sait à quel point c'est dur. On échange une longue accolade, les yeux noyés de larmes.

C'est bon d'être de retour chez soi. Car notre maison, située hors du campus, est mon chez-moi maintenant. Plus que le pavillon de mes parents. Ici, je suis vraiment moi-même. Je me couche sur mon lit, entourée de mes livres, de mes plantes et de mon ordinateur portable. Je suis une nouvelle personne depuis que je suis étudiante. Je ne regrette pas mon choix.

Au bout de deux jours, je me replonge dans les classeurs. Je choisis mes nouvelles options. Je découvre que j'ai été admise dans un cours avancé sur Emily Dickinson à l'université Amherst. C'est une bonne nouvelle.

La veille de la rentrée, Gina m'emmène dîner dehors. On a une conversation normale. Elle me parle d'un garçon qu'elle a rencontré pendant les vacances, et de l'arrivée d'un nouveau prof dans son département.

Selon elle, il faut que je sorte avec quelqu'un au cours du trimestre. Elle estime qu'un scénario romantique serait bénéfique pour ma santé mentale.

Je me demande comment je vais y arriver. Je n'ai même pas réussi à rejoindre Simon à sa fête du Nouvel An. Gina a sans doute raison, cela dit. Je décide d'aller chez le coiffeur et de m'acheter de nouvelles baskets.

Évidemment, je reçois deux invitations dès la semaine de reprise. J'accepte les deux rancards et, au premier comme au second, je reste poliment assise, je sirote mon café et je souris aux moments appropriés.

7

Néanmoins, je continue de penser à Stewart. Tous les jours. Le ciel de Nouvelle-Angleterre, tellement différent de celui du Nord-Ouest Pacifique, me donne l'impression qu'il est très loin de moi.

Un mardi soir, après le dîner, je traverse le campus à pied pour me rendre à l'autre bout de la ville. J'ai repéré un vieux cinéma là-bas et j'ai envie d'y jeter un œil.

C'est une longue promenade mais je suis contente de faire un peu d'exercice. Je suis étrangement sereine ce soir. Je ne me sens pas seule. Je vais au cinéma.

Le ciné s'appelle The Academy. Il ressemble beaucoup au Carlton. Je paie les cinq dollars d'entrée et je m'achète du pop-corn bon marché. Je remercie la fille qui remplit mon cornet jusqu'à ras bord.

Une fois à l'intérieur, je m'assois vers le fond. Il y a une douzaine de spectateurs éparpillés dans la salle. La lumière baisse et je commence à mâchonner du pop-corn en m'absorbant peu à peu dans l'histoire.

Le mardi suivant, je remets ça. Je parcours la ville à pied d'un bout à l'autre, dans le froid, jusqu'à l'Academy. Quitter le campus est un excellent moyen de se détendre et d'oublier un moment les contraintes de la vie étudiante.

J'ai conservé cette habitude à ce jour. Je continue de sortir – pas tous les mardis, mais presque. C'est ma soirée ciné. Bien sûr je songe à Stewart chaque fois que j'y vais. Peut-être qu'au fond de moi, j'attends qu'il me rejoigne, qu'il s'assoie à côté et qu'il pose ses grands pieds sur le dossier devant lui.

J'ai compris un truc : on peut changer le cours des choses. On peut réparer ses erreurs. Recommencer sa vie s'il le faut.

Et puis il y a l'irrémédiable, ce qu'on perd à tout jamais. Certaines personnes. Des moments gâchés parce qu'on les a vécus à une époque où on se blindait contre les émotions, faute de savoir s'y prendre autrement.

On ne les voit pas venir, parfois on les ignore quand ils arrivent ; mais plus tard, quand on s'installe dans une certaine monotonie, on réalise à quel point ils étaient importants. On comprend enfin qui a compté dans nos vies, qui nous a fait tel qu'on est.

Je ne veux pas dire adieu à Stewart. Je le garde auprès de moi. Mon premier amour. Mon meilleur ami. Mon prince.

Si jamais il revient, il saura où me trouver. The Academy. Je suis toujours ici. Les pieds en l'air. En train de mastiquer du pop-corn rassis. Une place libre pour lui à mes côtés.

D'autres livres

Albin Michel

www.wiz.fr
Logo Wiz : Laurent Besson

Composition IGS-CP
Impression CPI Bussière en avril 2014
à Saint-Amand-Montrond (Cher)
Éditions Albin Michel
22, rue Huyghens, 75014 Paris
ISBN : 978-2-226-25525-9
ISSN : 1637-0236
N° d'édition : 20372/01. – N° d'impression : 2008900.
Dépôt légal : mai 2014.
Loi n° 49-956 du 16 juillet 1949 sur les publications destinées à la jeunesse.
Imprimé en France.